一番大切なことは何ですか？

片づけには、人生を変える力があります。
たんに、おうちが片づくだけではないのです。

いったい何が一番変わると思いますか？

仕事や恋愛がうまくいく人もいれば、
結婚が決まる人や、やりたいことが見つかる人もいます。

でも、数ある片づけ効果の中で、
何よりもすごいこと。
それは、自分のことが好きになれることです。

ときめくモノを残し、
ときめかないモノを手放すことを通じて、
「選択する力」「決断する力」「行動する力」が身につき、
自分に自信ができるのです。

自分は何にときめき、何にときめかないのか。
その問いかけを繰り返す中で、
一番大切なモノは何か、
一番大切なことは何か、が見えてきます。

自分のことが好きになれると、
気持ちに余裕ができ、
毎日の暮らしを楽しみたくなります。

「毎日がときめく片づけの魔法」を
頑張っているあなたにお届けします。

毎日がときめく片づけの魔法

目次

第2章　おうちとモノと対話する

第3章　理想のおうちを想像する

第4章 「片づけ祭り」を楽しむ

第5章 とにかくたたむ、とにかく立てる

第6章 毎日がときめく「ちょっとしたこと」

装丁・本文デザイン　轡田昭彦、坪井朋子

写真　夏野 苺

イラスト　井上まさこ、夏野 苺（一四五頁）

編集協力　乙部美帆

編集　高橋朋宏、桑島暁子（サンマーク出版）

第1章

自分と対話する

もしかして、
片づけに追われて
いませんか？

今日も片づけができなかった。

まだ片づけが終わらない。

もっと捨てなきゃ。

スッキリしなくては。


もしかして、いつの間にか、片づけに追われていませんか？

一生懸命、片づけをしているうちに、気がついたらとにかくモノを減らすことばかり考えていたり、片づけが永遠に終わらないような不安に襲われたり……。

私が最近気になっているのは、こうした相談をよく受けるようになってきたことです。


ときめく毎日を過ごすための片づけなのに、ときめき感はそっちのけ状態。

これは、片づけを終えたあとの目指したい姿や理想の暮らし、そして、自分の片づけが今どんな状態なのか見えていないことが原因です。

でも、心配しないでください。じつはこんなことをいっている私だって、片づけ以外では同じような状態になってしまうことはしょっちゅうです。

たとえば、仕事は大好きなはずなのに、スケジュールをパンパンに詰めすぎてしまってちょっと心が苦しくなったり、人付き合いは順調なはずなのに、漠然とした不安を感じたり、ふだんならまったく気にならないようなことなのに、思わぬ怒りを感じてしまったり……。

こんなとき私がしているのは、とにかく書き出すこと。

激しく落ち込んだときや誰かが許せないとき、あるいはこういうことをしたいと強い気持ちが次々と湧いてくるようなときは、大学生のときから一〇年以上使いつづけてきた、お気に入りのライティングデスクに座って、誰にも見られない前提でひたすら自分の気持ちをパソコンの画面に向かって吐き出すように文字を打ち込んでいきます。

一気に書きたいので、かける時間は一時間以内。

自分の理想がモヤモヤしているときやなぜだか前に進めないとき、単語だけが心にぽろぽろ浮かんでくるようなときは、パソコンではなく、手書きがおすすめです。こちらは静かなカフェや公園のベンチなど、いつもと場所を変えてゆったりと綴《つづ》ります。

手帳やノートや裏紙を気分によって使い分けますが、ときめかない気持ちを書き出すなら、絶対に裏紙。

きちんとしたノートだときれいに書こうと身構えてしまうからです。裏紙をストックするなんていうマメなことはしていませんが、その場でガサゴソ探せば必ず見つかるものです。

ペンは、手帳用の細くて短い、木軸のシャープペンシルを五年ほど前から愛用しています。以前はスルスル書ける水性ボールペンを使っていたのですが、書いた文字がはっきりしすぎて、モヤモヤした気持ちを書き出すのには躊躇《ちゅうちょ》してしまうことがあったので変えました。ふとした瞬間にチラリと見えてしまったとき、濃い字だと近くにいる人からもしかしたら読みとられるかもしれないから恥ずかしいという、なんとも自意識過剰な理由もあるのですが……。

どんな方法でも、自分の中のモノを洗いざらい出しつくしてみると、意外な感情や原因に気がついたりするもの。ああ、こんな気持ちが自分の中にあったんだなあとか、恥ずかしくなったり、誇らしくなったり……。

「片づけ祭り」のときに、すべてのモノを一か所に出してみるのと同じですね。

だから、片づけに苦しくなったら、ひと休み。

お茶でも淹《い》れて、自分の暮らしやまわりのモノについて、ゆっくり考えてみましょう。

なぜなら片づけの目的は、ひたすらモノを減らすことでも、たんにスッキリした空間で暮らすことでもありません。

ときめく毎日を過ごすこと、そして、ときめく人生を手に入れること。これこそが片づけで得られる最大の効果だということを、思い出してください。

あなたが
本当に片づけたいのは
何であるか、
気づいていますか？

突然ですが、あなたはなぜ、片づけをしたいと思ったのですか？

こんなふうにいきなり聞かれてしまうと、「スッキリしたおうちに住みたくて」とか、「モノを探す時間を減らしたくて」と、どうしても目の前の空間をスッキリさせることだけに意識がいってしまうかもしれません。

もちろん、それが間違っているといいたいわけではありません。

だってあなたがこれからするのは、おうちの片づけで、それは物理的な作業なのですから。

でも、「毎日がときめく魔法のような片づけ」をするのなら、じつはもう少し、片づけ前に考えておくとよいことがいくつかあるのです。

私の片づけレッスンでは、実際の片づけをする前にお客様にいろいろな質問をします。

お片づけは子どもの頃から苦手でしたか？
お母様はお片づけができるほうでしたか？
今はどんなお仕事をしていますか？
その仕事を選んだのはなぜですか？
休日にはどんなことをして過ごしていますか？
その趣味はいつから始めましたか？
何をしている時間が一番楽しいですか？

片づけには一見関係なさそうなことまで含めて、場合によっては、じっくりと一時間くらいお話ししてもらうこともあります。
もちろん、たんなる興味本位で聞いているわけではありません。これらは全部、片づけをスムーズに進めるためのちょっとしたコツなのです。

片づけをしていると、服でも本でも「ある特定のカテゴリーだけはどうにも進みが遅い、詰まってしまう」なんてことがときどき起こります。

たとえば、ある人は洋服だけはどうしても捨てられなかったり、ある人は洗剤のストックだけは大量に持ってしまっていたり。いうなれば、それは片づけの「こり」ポイント。

こんなふうに、特定のかたよった「こり」ポイントがある人は、人間関係や仕事や、その他の生活の中にも必ず「こり」があるのです。

たとえば、「今の仕事がおもしろくないと感じている」「母親に対してどうしても許せないことがある」といった感じです。

本人が気づいている、気づいていないにかかわらず、この生活の中の「こり」ポイントに「ほぐし」を入れるのが、片づけ前の質問タイムの目的なのです。

といっても、その問題についてその場でアドバイスをしたり、解決法を考えたりするわけではありません。

あくまでも、ただ質問をするだけ。

片づけ前の段階でその人自身の「片のついていない」ところを思い出して、少し意識しておくだけで、不思議なことに、その後のおうちの片づけの進みぐあいが全然違ってくるのです。

自分がどうしてモノが捨てられないのかわかったり、何に執着しているか気づいたりすることができて、片づけがより深い次元で進むようになります。

モノの持ち方も、人間関係も仕事も暮らし方も、すべてはつながっています。だから、モノと自分、その両面から「こり」をほぐしたほうが、本当は効率がいいのです。

片づけとは、あらゆることに片をつけること。
あなたが今、本当に片づけたいのは何ですか？
ここでもう一度、考えてみてください。

朝起きてから家を出るまで、どんな時間を過ごしたいですか？

朝起きたら、まず寝室の窓を開けます。

新鮮な空気をおうちに取り込み、深呼吸して体に取り込んだら、部屋の隅に飾ってある観葉植物に「おはよう！」と声をかけます。

シーツと枕カバーをはずして、洗濯機へ。

お風呂にお湯を入れている間に、朝ごはんの下ごしらえ。

お風呂に浸かりながら、今日やるべきことを整理。ときにはパソコンを持ち込んでメールチェックしたり、執筆の仕事をしたり。

お風呂から上がったらスキンケアをしながら朝食の準備をして、洗濯物を干します。

朝ごはんは、ごはんとおみそ汁におかず一品、もしくは前日に買ったおいしいパンをトーストしたもの。

あんまりお腹がすいていない日は、フルーツと野菜のグリーンスムージー。

メニューや季節によってランチョンマットや箸《はし》置きも変えます。

かける音楽は、和食のときは笛の曲、パンのときはクラシック。

ゆっくりと朝食をとり、食後のお茶までいただいて、食器の後片づけも終了。

メイクは三分ですませ、サッと着替えてお仕事に向かいます。

これが私の「理想の朝」です。

毎日バッチリ実践するのはむずかしいけれど、実際、朝起きてからおうちを出るまではだいたいこんな感じです。

といっても、はじめから理想通りにできていたわけではありません。正直にいうと、少し前まで、朝はいつもバタバタで、いったい何をしていたか覚えていないほど。寝坊した日は、それはもう悲惨な朝でした。

でも、ある日、真剣に考えました。

私にとって、「理想の朝」の過ごし方はどんなものだろう?

ノートに朝やりたいことを書き出して、タイムスケジュールもつくってみて、雑誌に載っていた素敵な朝ごはんの写真を切り抜いてノートに貼りました。そのノートを何度も見直して、いつの間にかその存在自体を忘れてしまった頃、気づけば「理想の朝」を過ごせるようになっていました。

自分の情けない経験からもいえるのですが、やはり、朝起きてからおうちを出るまでの時間にときめく瞬間をつくれると、その日一日のときめき感度はグッと上がる気がします。

もちろん、ゆっくり過ごす朝だけが理想というわけではありません。

あるお客様は、「起きてから家を出るまで、一〇分で出かけられる暮らしが理想です」といっていました。

つまり、前日にすべての用意をすませて、起きたらシャワーと着替えとメイクだけして近くのカフェで朝ごはん。なるべく、朝の時間は外で過ごしたいのだとか。

「こんな朝が過ごせたら夢みたい」と思うようなことだって、片づけが終わったあとならけっこう、スルンとかなってしまうもの。

さて、あなたは朝起きてから家を出るまで、どんな時間を過ごしたいですか？

その日一日のときめき感度がグッと上がるような、理想の朝時間をイメージしてみましょう。

夜、眠りにつく前、
どんなことをして過ごしたいですか？

とくに女性であれば、「夜、寝る前にやるといい」ことほど、挙げればキリがない話題もない気がします。

私も学生時代は、それこそいろんなブームに乗せられて、雑誌で特集されていたストレッチや顔マッサージ、ヨガなんかを毎日のようにやっている時期もありました。

「やるときは、一気に短期に完璧に！」派だったので、ブームが始まれば、しばらくは毎日欠かさず、なんともマジメに課題に取り組んでいたものです。

しかし、そんな時代もいつのことやら、社会人になって仕事が忙しくなってくると、メイクを落とさずに寝るわ、床で寝るわ、挙げ句の果てにはパソコンに顔をメリ込ませて寝る始末。

それまでの私の寝る前の理想は、「アロマオイルをたいて、ハーブティーを飲みながら美しい写真集を眺めつつ、ゆったりした気持ちになってクラシック音楽を聴いて、ボディケアのあとにストレッチをして、瞑想《めいそう》をしてから寝る」だったのが、「とにかく顔さえ洗えば」というレベルまで一挙に落ちました。

さすがに以前ほど仕事で無理をしないようになってからでも、週に二日は寝落ちしてしまうような状態ですが、今、寝る前の時間はだいたいこんな感じです。

お風呂から上がったら、スキンケアをして寝る。

これにプラスして、余裕があればアロマをたく、ヨガを何ポーズかする、「ときめきスクラップブック」を眺める。そんなことをいろいろ組み合わせて取り入れています。

私の場合、朝のほうがいろいろとやりたいことがあるタイプなので、夜寝る前の決まったメニューはありません。心地よく眠るためにとにかくリラックスすることが目標なので、やることは気分によっていろいろです。


むしろ、「やらないこと」のほうを意識しているかもしれません。

たとえば、寝る前には冷たい飲み物は飲まない、インターネットはしない、その他、交感神経がたかぶるような刺激になることはしない、など。

唯一欠かさないことといえば、「お祈り」です。

やり方は簡単。夜寝る前、電気を消して横になったら目を閉じて、心の中で今日一日の感謝を述べるだけです。

この習慣が始まったのはここ数年。お祈りをする対象は、はじめのうちは「神様、ご先祖様」とぼんやりしたイメージだったのが、だんだんと身近なモノや人を具体的に思い浮かべるようになりました。

つまり、自分の身につけているパジャマから始まり、ベッド、寝室、おうちという順番で、自分を中心としたモノ一つひとつに「ありがとう」という思いを伝えて広げていくイメージを思い描きます。

続いて、父・母・きょうだい・父方の祖父母・母方の祖父母、あとはそれぞれのお父さん、お母さん……と、顔は知らなくても、頭の中で自分を起点とした家系図が放射状に広がっていくのをイメージするのです。

すると、自分が今ここにいることの感謝や、いつでも大きなものに守られている安心感がじんわり実感できて、体がふわっと軽くなったみたいに、穏やかに眠りにつけるのです。

このお祈りをした次の朝は、ツルンと生まれ変わったみたいに目覚めがスッキリ。思い悩んでいたことの解決策がサクッと思いついたり、悩んでいたこと自体がムダだったことに気づいたり……。

すべてのモノが収納場所にカチッと収まったみたいに、自分の中心が元の位置に戻ってくるような感覚になります。

つまり、寝ている間に心のお片づけが自動的に完了してしまうようなもの。

寝る前のアロマもヨガも音楽も、効果はこれとまったく同じ。

心がさっぱりとクリーンな状態で朝を迎えることができれば、理想の一日にするべく行動するのは、はっきりいって簡単です。

となると結局、夜寝る前が、理想の暮らしを実現するのに一番大事な時間帯なのかもしれません。

さて、あなたなら夜眠りにつく前、どんな時間を過ごしたいですか？

何でも実現するとしたら、
どんな暮らしが理想ですか？

「片づけ祭り」をスタートさせる前に、するべきことは何でしょうか。

私の本をお読みくださった方はもちろんご存じのはず。それは「理想の暮らしを考える」ことです。

だからまず、どんなお客様にも「どんな暮らしが理想ですか？」と聞くことから片づけレッスンを始めるわけなのですが、ここである問題が発生します。

「お城みたいに大きなおうちに、ナチュラルカラーの家具をそろえて、広いキッチンでケーキを焼きたい！」と、夢と希望に満ちたキラキラした目で理想を挙げるお客様。

ところが、しだいに、「でも、うち、和室なんですよね」「四畳半のお部屋でお城みたいなおうちといっても……」と、目の前にあるおうちの現状を考えてしまい、瞳のときめき度はどんどん下降していき、最後は「もっと、現実を見たほうがいいですかね？」となるのです。

少し前まで、こんなふうに一見「ごもっとも」な意見をいわれると、正直なところ少し困ってしまっていました。

だからといって、「畳をマメに掃除して、とりあえず床をきれいにキープする。そして、（本当はルノアールが好きだけど）和室に合いそうな葛飾北斎の手ぬぐいを飾って……」なんて妥協案は、考えただけでときめかないし、それで片づけのモチベーションが上がるとは、とても思えません。

「理想の暮らし」を思いっきり心のおもむくままに思い浮かべるべきか、実現可能な範囲で思い浮かべるべきか。

大いに悩ましい問題です。

理想の暮らし、理想の暮らし、理想の暮らし……。

あれ、そもそもこの「暮らし」っていったいどういうこと？

そう思って、あらためて辞書で「暮らし」という言葉を調べてみると、意外な事実につきあたりました。

国語辞典『大辞泉』によると、「暮らし」とはすなわち、「暮らすこと。一日一日を過ごしていくこと。日々の生活。生計」。ちなみに「暮らす」を引いてみると、「日が暮れるまで時間を過ごす。日々を送る。生活する」でした。

つまり、「理想の暮らし」とは理想の時間の過ごし方であって、「理想のおうち」とは別モノだということです。

そのことに気づいてふと思い出したのは、学生時代の自分の暮らしでした。

当時、実家住まいの私の部屋は五畳半。自分の部屋があるというだけで充分ぜいたくなことなのですが、本音をいえば、もっと広いベッドルームが欲しかったし、キッチンもかわいくしたかったし、ベランダでガーデニングをしたり窓に素敵なカーテンをつけたりしたいな、という「理想」や「願望」はいつも心の中にありました。

でも、実際はというと、キッチンは母の領域で私が勝手に手を入れることは許されず、自分の部屋はマンションの通路側でベランダどころか窓すらありません。

けれど、当時の私はあまりそこに注目せず、「自分のお部屋が大好き！」と公言していた記憶があるのです。

それは、寝る前にアロマをたいたり、お気に入りのクラシック音楽をかけたり、ベッドの横に一輪のお花を飾ったりして、自分なりに「理想の暮らし」を実践していたからだと思います。

つまり、「理想の暮らし」とは、行動なのです。

これは私の例ですが、たしかに片づけが終わった人たちの話を聞くと、いきなり引っ越したり、インテリアを総取っ替えしたりする人なんてほとんどいなくて、まず変わるのは日々の時間の使い方。

そうすることで、はじめに思い描いた「理想のおうち」とは違ったところがあっても、「今のおうち」が大好きになるのです。

おうちは変えられなくても、暮らしは変えられます。

理想のおうちに住んでいるかのように、暮らし方を変えていけばよいのであって、それを目指すための片づけなのです。

だから、「理想の暮らし」を考えるときは、おうちの中でどんな過ごし方をしたいかという、「やりたいこと」を考えるようにしましょう。

ここだけの話、片づけを終えて「理想の暮らし」を始めた人から、「二年後に理想通りのおうちに引っ越せました！」「ずっと欲しかった家具を譲ってもらえました」なんて、「理想のおうち」のほうまでかなってしまったという声が絶えないのも、これまでこの仕事を続けてきて、不思議に思うことの一つです。

これを信じるか信じないかはあなたしだい。

どうせなら、うんと素敵な理想を描きたいと思いませんか。

理想のおうちを
あきらめるなんてこと、
していませんか？

「理想の暮らし」は時間の使い方を変えることで近づくことができるけど、だからといって「理想のおうちは現実的に」というのでは、「ときめき片づけ法」の名がすたります。

では、「理想のおうち」を実現するためにはどうしたらよいのでしょうか？

たとえば、畳のお部屋でロココ調のインテリアはやっぱり無理？

私も以前は「さすがにそれはむずかしい」と思っていました。

でも、それだって不可能ではないのです。

私のお気に入りの一冊に、『美輪明宏のおしゃれ大図鑑』（集英社）という本があります。

この本の中では美輪さんが若かった頃にお住まいだった六畳一間の和室のインテリアが紹介されているのですが、これがとても素晴らしいのです。

畳の床には段ボールに布を貼ったものを敷き詰めて絨毯《じゅうたん》のようにし、市松模様の布が貼られたふすまには女優さんの写真をセンスよくディスプレイ。

窓には手づくりのピンクのカーテンがかけられ、タンスやレコードプレーヤーなどの小物もペンキで塗り替えられたり、リボンで装飾がされていたり。そのお部屋の様子が描かれたイラストはゴージャスなお城のようで、とても和室には見えません。


「美しく、おしゃれな部屋に住んでください。無理に引っ越したり、お金をかける必要はありません。今住んでいるあなたの部屋を、知恵と工夫でつくり替えてしまえばよいのです」

この本の言葉にどれだけ励まされたことでしょう。


そもそもこの本を読んだきっかけは、学生時代に美輪明宏さんに直接お会いしたことがあったからでした。

学内の新聞部に所属していた私は、学園祭で講演に来られていた美輪さんに取材させていただく機会があったのです。

美輪さんは、それまで私が会ったことのある人たちとは明らかに別人種でした。取材する部屋にあらかじめバラの香水を振りまいておくこだわり。開口一番の「ごめんあそばせ」から始まる美しい言葉遣い。取材の間じゅう、その存在感に圧倒されっぱなしで、本物とはこういうことか、と学生ながらに衝撃を受けた経験は忘れられません。

当時から片づけコンサルティングの仕事をしていた私は、「部屋」と「そこに住む人が持つ雰囲気」がほぼ一致していることに気づきはじめていたので、美輪さんのような方がどんなおうちで暮らしてきたかに興味を持って、先の本にたどり着いたのです。

それ以降もたくさんの人の暮らしを見てきましたが、素敵だなと思える人が住むおうちの共通点は、けっしてお部屋の広さや家具の豪華さにあるのではありません。

小さな収納家具一つとっても、納得いくまで探したりつくり替えたり、こまめにお手入れをして手をかけたり。

こうしたちょっとした面倒な作業というか、根気を支えているのは、「こんなおうちに住みたい！」という一種の欲なのです。

欲と聞くと抵抗があるかもしれませんが、理想のおうちをあきらめない気合いが、結局、おうちに対するこだわりや愛情を生んでいるのです。


だから、「理想のおうち」をけっしてあきらめないでください。

「理想のおうちと暮らし」を思い浮かべるときに遠慮は不要です。

はじめから「理想のおうち」を低く見積もるなんてナンセンス。

思う存分、素敵なおうちの写真を集めて、じっくり眺める時間をつくり、本当にあなたの心がときめくおうちを思い浮かべましょう。


ここで大事なのは、素敵なおうちと自分のおうちを比べてしまわないこと。

じつをいうと私自身、まだ自分のおうちに満足していなかった頃は、素敵な暮らしをしている人のおうちの写真を見ては、「うらやましいな」とか、「どうせ私は……」という気持ちになっていました。

そんなときは、あまり生活感のないホテルの部屋の特集や、外国の住まいの写真や、インテリア写真集などを参考にすることをおすすめします。

純粋に「こうなったらいいな」と思える、突き抜けた理想を見たほうが、じつはまっすぐに理想に向かっていけるものです。

だからやっぱり、理想の暮らしは制限をつけず、本当に心がときめくように思い浮かべるのが正解なのです。

だいじょうぶ。

自分の工夫と努力しだいで、今のおうちはもっともっと素敵になるのです。

いつまでに片づけを終わらせるか、
具体的に決めましたか?

片づけは、「一気に、短期に、完璧に」。
こういうと「短期って、どれくらい？」と聞かれることがあります。

もちろん答えは、人それぞれ。
一週間の人もいれば、三か月の人も、半年の人もいます。大事なのは、どれくらいの期間で片づけを終わらせたいのか、自分で決めてしまうこと。期間が区切られなければ、ついつい先延ばしにしてしまうのがふつうなのです。

たとえば私が先延ばしにしてしまうことの代表は、ここだけの話、本の原稿を書くことです。

初めて私が本を書くことになったときのことを、恥ずかしながら公開します。
出版社の会議室で、正しい片づけの方法はこうだとか、片づけをするとどれだけ毎日がときめくかとか、片づけへの熱い想いをさんざん語った二時間後。すっかり共感してくれている様子の編集者さんからいわれたのは、「とりあえず、思うままに書いてみて」というひと言でした。締め切りも何もないまま、原稿を書きはじめることになったのです。

けれど、おうちに帰って一人になってみれば、さっきまでの熱い想いも一段落。そもそも「片づけ命」の私にとって、ひたすらイスに座ってパソコンでカチャカチャしている時間はまさに拷問。なんだかんだと理由をつけては、執筆から逃げつづけていたのでした。

そして二週間後。編集者さんに私が出したメールは、「申し訳ありません。まだ一文字も書いていません」という内容でした。

そのときの情けない気持ちといったらありません。

それからは編集者さんに提出期限を細かく設定していただいたり、ときには自己申告で締め切りを申し出たり……。正直なところ、それでも締め切り前にバタバタするクセは変わらないのですが、少なくとも「何もしていない」という状況はなくなりました。

片づけは仕事ではないからこそ、締め切りの設定がじつはとっても大事。

一人では気力が続かないという場合は、ぜひまわりの人に「年末までに片づけを終わらせます！」というように宣言してみてください。仕事のような強制力はないのですが、お世話になった先輩や尊敬している友人など、「この人にダメな人と思われたくないな」と思える相手に宣言するのが効果的なようです。

この「締め切り宣言法」は片づけ以外でも応用可能で、何かを頼まれたときには「何日の何時までに返事します」と具体的な日時つきで答える、新しい趣味を始めたいときにも「今年の一〇月までにパンづくりを始めようと思います」と自分からあえて人に話をしてみる。そんなちょっとしたことで、「ハッと気づけば半年経過」、なんていうことはグッと減っていきます。

そういえば以前、育児休業期間のうちにどうしても片づけを終わらせなければいけない方がいたのですが、その方の片づけのスピードには日をみはるものがありました。

「ときめきます」「ありがとうございました」とつぶやきながらモノを選ぶ手元がかすんで見えるほど、とにかく速い。

おまけに、お休み明けまでもうあと数日というせっぱつまった状況だったのに、「今日のお昼はどうしてもあのカレーが食べたいんです。お休みが終わったら食べられなくなっちゃうから」といって、片道一五分の道をいっしょに歩いてカレー屋さんまで食べに行ったときには、さすがに私も内心、「終わるだろうか」と心配になりましたが、それでもなんとか片づけを終わらせてしまいました。

やはり人は、締め切りがあると、いつもよりグンと頑張れてしまう生き物みたいです。

あなたは、いつまでに「片づけ祭り」を終わらせますか?

今すぐスケジュール帳を開いて、「片づけ卒業」の日を書き込んでしまいましょう。今すぐですよ。

片づけを始める日をいつにしますか？

いつから片づけを始めるか。
いつまでに片づけを終わらせるか。
この二つの問いは、似ているようでまったくの別モノです。

実際、お客様にこの質問をしてみても、その差は歴然。

「いつまでに片づけを終わらせますか?」

「年末までに終わらせたいです。来年からは新しい私に生まれ変わって、結婚するのが目標です!」
「もちろん次の誕生日までに! そしたら、自分へのバースデープレゼントに憧れだったティーセットを買って、お花を飾ったお部屋でゆったりお茶をするのが夢なんです」

力強く手帳に「片づけ卒業!」と書き込み、その後の生活を夢いっぱいに語るお客様のキラキラした表情といったら!

一方、「いつから片づけを始めますか？」と聞いてみると、返ってくる答えはこんな感じです。

「えっと、今月は十日に全部予定が入っていて……。夏休みは旅行に行きたいし」

「この日は前の日が飲み会だから疲れてるかも。その日も夕方から約束が入るかもしれなくて……」

手帳と私の顔色を交互にうかがいながら、なぜか申し訳なさそうにしているお客様。

そう、片づけの「卒業日」は夢見る要素があるけれど、「開始日」は完全なる現実なのです。

だから、片づけを「いつから始めるか」を考えるほうが、ずっとしんどい気持ちになるのは当然のこと。

ちなみに、お客様のおうちにかかっているカレンダーに、私のレッスンの予定が書き込まれているのを目にすることがあるのですが、「片づけレッスン、気合い！」と書かれているのはまあいいとして、ひし型の中にビックリマークが描かれた「キケン」を表す交通標識が書かれていたり、ひどいときには手書きでドクロマークが書き込まれていたりすることもあって、片づけのレッスンに来ているつもりがまさかの危険人物扱い。

思わずお客様に真意を聞いてみると、「この先、何が待ち受けていても受け入れようと思って」とか、「死ぬ気でやらなければという覚悟のつもりで」といったように、そのあまりに真剣な表情にこちらもびっくりして、うっかり両手に持ったゴミ袋をポトリと落としそうになるのです。

何がいいたかったのかというと、皆さん、けっこう気合いを入れて覚悟を決めて、頑張って片づけを始めているのだということです。

もちろん「片づけしたい！」と思い立ったらすぐに体が動いて、何も考えずにササッと服を集めてときめきチェック……と、思いと行動が直結している人もたしかにいますが、けっして多くはないように思います。

ほとんどの場合、手帳とにらめっこをしてどうにかこうにか予定を調整し、ときには有給休暇をとったり、決まっていた約束をキャンセルしたりして片づけのための時間をつくり、レッスン当日に私がうかがえば、「昨日、夜中の二時まで片づけしてたんです」とか「徹夜しました」なんて声の多いこと。

そのちょっぴり青ざめた眠たそうな顔のお客様を見て、いやいや、前のレッスンから一か月以上ありましたよね、とつっこみそうにもなるのですが、私だって本の執筆のときには締め切り前日だけは毎回相変わらず徹夜をしているのですから、案外みんなそんなものなのかもしれません。

だからあなたも、「忙しくって」という類のよんどころない理由はちょっと置いて、もう一回、スケジュール帳を開いてみてください。

だいじょうぶ。

片づけは、必ず終わります。

頑張って片づけに奮闘している仲間が、日本にはたくさんいるのです。

さて、片づけ開始日はいつにしましょうか。

第2章

おうちとモノと対話する

あなたのおうちに
性格があるとしたら、
どんな人ですか？

「おうちにはそれぞれ人格や性格があります」

こんな話をすると、きょとんとされる方が多いと思いますが、年がら年じゅう、ひとさまのおうちで片づけ指導を行っている私の正直な実感なのですから、しかたがありません。もちろん私にも理由なんて説明できないのですが、なんとなく私にはそう感じられてならないのです。

女性的なおうちや、男性的なおうち。若くて活発なおうちや、うんと年上の落ち着いたおうち。それから、ちょっとマニアックだけど、しゃべるおうちだったり、無口なおうちだったり、映像を見せてくれるおうちだったり……。

このように、性格やコミュニケーションのスタイルは、おうちそれぞれ。

ですから、私が片づけレッスンをするときは、まずはそのおうちがどんなタイプかを知ることから始めます。

方法はいたって簡単。「おうちにごあいさつ」をするのです。

「はじめまして。これからあなたの中を片づけていきますので、どうぞ応援してださいね」

これで返ってきた反応の感じによって判断します。といっても、おうちのタイプを正しく診断しようなんてむずかしく考えるよりは、人と会話するときと同じで、なんとなくこんな感じの人かなあと思う程度でよいのです。

「そんなの知って、何の役に立つの？」と思うかもしれません。

じつのところ、何の役にも立ちません。

でも、はじめのうちにきちんとおうちとコミュニケーションをとっておくと、「ここの収納をどうしたらいいかなあ？」と悩んでいるときに、ポンとヒントをくれることがあるような気がするのですから、おうちってやっぱりとってもやさしい存在なのです。

私自身、仕事で悩みごとがあっても、おうちに帰ると、なんだかふんわりと包み込まれるような気がして、翌朝には悩みごとがスパッと消えていることもしょっちゅうです。

だまされたと思って、どうぞお試しください。

モノが
息苦しくなっては
いませんか？

クロゼットの中にギューギューに詰め込まれた洋服。床の上で無造作に積まれた本や雑誌。いつも棚の上に出しっぱなしの小物たち。

こんなふうに、あなたのお部屋で、息苦しくなっているモノはありませんか？耳を澄ませて、一つひとつのモノの声を聞いてみてください。

「そんなのすぐに聞こえないよ」というなら、こちらの方法はいかがでしょう。名づけて「一人演劇部」。

まず、流している音楽を消します。そしてお部屋をぐるりと見回します。モノと目が合ったら、モノになりきってセリフをいうのです。

やっぱり「重くてつらい」なのか、「あの引き出しに入れてほしい」と要求されるのか、意外や意外、「この状態が快適ですよ」という言葉が湧いてくるか。思ったままに演じてみたら、モノの気持ちがしだいにわかってきます。

一〇個、二〇個と演じつづけて、自然と演技が白熱する頃には、あなたはもう、本格的な「片づけ祭り」を始めたくてたまらなくなっているかもしれません。モノの声は、はっきりいっておうちの声よりだんぜん聞き取りやすいので、どんなふうに収納されたがっているとか、もうお役目終了の申し出をしているとか、リクエストがどんどん伝わってきて、すぐにでも行動したくなるのです。

すべての持ちモノは、あなたの役に立ちたいと思っています。そんなモノたちが、もっと心地よい空間で暮らせるために、どうしたらいいか考えてみましょう。

収納を考えることの本質は、ここにあります。すべての持ちモノを本来あるべき場所に帰してあげる神聖な儀式、それが収納だと私は考えています。

そのために、思いきってモノの気持ちになってみる。そうすることで、片づけがたんなる収納テクニックではなく、モノとのコミュニケーションを深める行為であることにも気づいてもらえたらなあと願っています。

あなたが一番長く
大切にしているモノはどれですか？

お部屋の中を見回してみてください。

その中で、あなたが一番長く大切にしているモノはどれですか？

「あれ、こんなの持っていたっけ？　忘れてた」というようなモノではなく、いつも近くで活躍してくれているモノから探してみましょう。


たとえば私の場合は、裁縫箱。

小学校一年生のときに両親からクリスマスプレゼントでもらった、取っ手と引き出しがついた、木の箱です。フタの金具が一度壊れてしまって修理しているから、ヘンなところに穴が開いているけど、こげ茶色の木肌と木彫りの花のモチーフが大のお気に入り。今は裁縫箱ではなく、メイクボックスとして活躍してくれています。


こんなに長くいっしょにいるということは、これまでの人生でうれしかったことや悲しかったことなど、今までのありのままの自分を全部見られてきたかと思うと、ちょっぴり恥ずかしいような、頼もしいような、何でも見せ合える親友のような気持ちになります。ダメな自分も全部受け入れてくれているような、妙な安心感があるのです。

そんな関係のモノが見つかったら、とりあえず今日は「これからもどうぞよろしく」という気持ちを込めて、キュキュッと磨いてあげましょう。

モノがずっといっしょにあなたのそばにあったということは、あなたのことを大切に見守ってきた何よりの証拠。

今度はあなたがモノに恩返しする番だと思いませんか?

一つのモノを大切にすることで、モノとの関係はいっそう深まっていきます。

そうすると、ほかの持ちモノともよりいっそう関係が深まり、おたがいが輝いていくのだと、私は思います。

なんとなく使っているけど、
愛着のある持ちモノは何ですか？

「運命的なモノとの出会いはありますか？」

お客様にこう聞くと、答えは二つに分かれます。

「目が合った瞬間、頭の中でカーンと鐘が響くような衝撃があって」と出会いの衝撃を話す、ビビッとタイプ。

「気づいたらもう二〇年以上もいっしょにいて」と付き合いの長さを話す、じんわりタイプ。

興味深いのは、じんわりタイプの人に出会いの瞬間について聞いてみると、「覚えていない」「なんとなく買った」と、意外なくらいそっけない答えが多いということです。

そのことに気づいたのは、片づけの仕事を始めて間もない頃。当時はまだ大学生で、「出会って一秒で運命を確信したの！」というような答えを当然のように期待していた私としては、じんわりタイプの答えをする人がいること自体が新鮮でした。

では、私にとって、じんわりタイプの運命の出会いって何だろう？

考えてみると、身近なところにそれはありました。

私の場合、それは手帳です。

中学生のときから同じシリーズを使いつづけているので、かれこれ一五年以上のお付き合い。当時の同級生に会うと、「まだ使ってるの？」とびっくりされるほどです。大きさは昔のカセットテープくらいのポケットサイズ。ページも少なく、月間の予定だけが書き込めるシンプルなつくりです。

だけど、中身はきちんとカラー刷りで、月ごとにクスッと笑えるオジサンの絵が描かれていて、ときめきポイントもバッチリ備えているのです。

一時期、毎日のスケジュールを一時間きざみで書き込める分厚い手帳や、中身の入れ替えができるリフィルタイプの手帳なんかも使っていたことがありますが、一か月も使いこなせずに、結局このタイプに戻ったのでした。

まさに私にとっての運命の手帳といえます。

でも、よくよく振り返ってみれば、この手帳に出会ったときの記憶は不思議とありません。

「出会いのときの衝撃って、運命かどうかにあんまり関係ないのかな」

モノとの出会いについておぼろげに考えるうちに、「じゃあ、運命の『人』との出会いは？」なんてことに興味が湧いてきた私は、片づけレッスンのときに収納の奥からお客様とダンナ様との思い出グッズが出てきたりすると、お二人の出会いの瞬間についてそれとなく聞くようになりました。

すると、「たまたま職場が同じだった」「いつの間にかいっしょにいた」「第一印象でピンときたわけではないのだけど」という答えの多いこと。それでいて、「いっしょにいるのが自然な気がするのよねぇ」と続くのです。

すべて女性側から聞いた意見ですし、もちろんすべての人がそうだったわけではありません。

でも、モノでも人でも「運命の相手」と呼べるような深いご縁がある関係って、出会いの衝撃にかかわらず、その人にフィットしているかどうかが大切なんだな、と思います。

これまで生きてきて、
出会いの瞬間、ビビッときたモノはありますか？

持ちモノには、ビビッとタイプの運命の相手も存在します。

目に入った瞬間、「私のためにつくられたのね！」と確信したり、「私を連れて帰って……」といわれたような気がしてしまったりするようなモノたちが、それです。

いろんな人に聞いてみると、真っ白い革のバッグやブルーの石がゆらゆら揺れるアクセサリーなど、身につけるモノから、マグカップ、ソファ、観葉植物まで、ビビッとタイプの運命の相手の役割はじつにさまざま。

なかには、「買い物は全部、ビビッと即断即決です」というツワモノもいましたが、そこまでときめき上級者でなくても、「モノにひと目惚《ぼ》れした」経験があるという方は多いのではないでしょうか。

私のビビッときた相手は、学生時代の家族旅行のときに出会った、一枚の絵です。

ふと立ち寄った雑貨屋の奥で、「不思議の国のアリス」をモチーフにしたその絵を見たとき、あまりに理想通りの構図にショックで動けなくなってしまいました。

三〇分悩んでお店を出てまた入って、というのを何度か繰り返した末、ついに購入。おうちの壁に飾ったときの「これでやっと部屋が完成した！」という感覚は、初めての経験でした。

と、こんな衝撃の出会いをしたのにもかかわらず、じつは一度、この絵を手放してしまったことがあります。

あるお客様の娘さんが「不思議の国のアリス」が大好きだという話を聞いて、その絵をプレゼントしようと思い立ちました。絵を買ってから五年ほどたった頃だったのですが、なぜか「私にとってもうお役目終了ということかな」という気がしたのです。

ところが、私の部屋からアリスの絵がなくなった次の日から、ちょっと不思議なことが起きはじめました。なぜか夢の中に、その絵が頻繁に現れるようになったのです。

はじめのうちは気のせいかなあ、と思う程度だったのですが、毎日のように夢に出てくるアリスの絵。

そして一週間後、ふいに母から電話がありました。

「まりちゃん。あのアリスの絵、まだおうちにあるわよね？」

「え？　ええっと……」

「ここ数日、あの絵の夢をよく見るのよ。どうやらまりちゃんにとって大事なお役目があるみたいだから、今まで通り、大切にしてあげてね」

電話を切ったあと、さすがにこれは何かあると思い、すぐにお客様に連絡をして、ワケをお話しし、その絵を返していただくことに。思い返してみても、あのときの夢が私に何を伝えたかったのか、まったく謎のままです。

でも、絵が戻ってきた直後に、私にとって仕事の転機が訪れたり、物事がスムーズに進むようになったり、ということが続いたことを考えると、たしかにあの絵に守られているといえるのかもしれません。

今でもアリスの絵は私の部屋にあって、見るたびに、ときめきというよりは、もっと深い安心感のようなものに包まれるのです。

どうしても縁があるモノには出会うべきときに出会うし、一度離れても必ず帰ってくるようになっているにちがいありません。

そう思うと、モノとの出会いって、本当に不思議だと思いませんか。

第3章

理想のおうちを想像する

玄関はおうちの顔であり、一番神聖な場所

ドアを開けた瞬間、おうちに帰ってきた安心感が感じられて、自然におうちに「ただいま」と声をかけたくなってしまう玄関。それが私の理想です。

三和土《たたき》はつねにピカピカ、家族の人数分の靴だけが整然と並び、それ以外はきちんと下駄《げた》箱に収まっています。アロマやお香のよい香りがほんのり漂い、玄関マット、お気に入りの絵やポストカードや季節のお花など、ときめくモノが真っ先に目に飛び込んできます。お正月やハロウィン、クリスマスなど、季節ごとに飾りつけをして四季の移り変わりが楽しめます。

あるお客様のおうちで印象的だったのが、ダンナ様が趣味でつくった立派な船の模型がドーンとガラスのケースに飾ってあり、その隣には奥様がつくる季節ごとのフラワーアレンジメントが置かれていた玄関。お子さんが独立してからご夫婦二人でおうちの中に少しずつ、飾りつけを加えていき、今では毎日おうちにあいさつをするのが日課になっているとのこと。

「外から帰ってくるたび、玄関を見るだけでうれしくなっちゃうんですよね」とご夫婦でニコニコおっしゃっているのがとても印象的でした。

玄関はおうちの顔であり、一番神聖な場所。シンプルに飾るのが基本です。

Entrance

リビングは「家族が楽しく会話できる空間」にする

私の考える理想のリビングは、たとえばこんな感じです。テレビのリモコンや新聞や読みかけの雑誌を置く場所も定位置が決まっていて、いつもスッキリ。お気に入りの観葉植物が置いてあり、水をあげるたびに「今日も元気だね」「いつも空気をきれいにしてくれてありがとう」と声をかけます。お気に入りの音楽が流れ、テレビがついていなくても家族の会話がどんどん弾みます。そして、テレビの横には家族の写真が飾ってあるコーナー、そのまわりには子どもがつくった作品を飾るコーナーがあり、その時々に置くものも替えて楽しみます。

「リビングが一番のときめきスポットなんです」という方のおうちを見せていただくと、窓辺にクリスタルやガラスの置物などキラキラしたモノを飾っているケースが多いようです。

先日行ったお客様のリビングに「レインボーメーカー」というとても素敵な飾りを見つけました。日が射すと下のクリスタルが回転し、お部屋の中に虹色の光がキラキラ反射して、しばしうっとりしてしまうほどきれいでした。

風通しがよく、お気に入りのソファとテーブルが鎮座していて、家族が楽しく会話できるようなリビングが私の理想です。

Living room

キッチンは「お料理する」のが楽しくなるのが一番

水まわりやガスまわりには、ふだんは何も置かないのがマイルールです。使ったあとはサッと水滴や油が拭き取れるように。フライパンやお鍋の数は最小限にして、自分にとって使いやすいモノをお手入れして大切に使いたいものです。菜箸《さいばし》やお玉などのツール類は一か所に収納。食器・調理器具・調味料類とカテゴリー別にシンプルに分けて収納され、使うときに迷うことはありません。乾物などの袋入りのこまごまとした食材はすべて立てて収納され、食材管理がしっかりされているのですべて賞味期限内に使いきることができます。食材を保存するキャニスターや調味料入れなどのキッチン小物も、少しずつ自分のお気に入りを探していくのも楽しみです。

あるお客様は、「片づけ祭り」が終わったあと、お誕生日のプレゼントにダンナ様に買っていただいたという、素敵な木製のキッチンペーパーホルダーを見せてくれながら、うれしそうに報告してくれました。「今までは新しい機能がついたキッチングッズを買い足すことに夢中だったけど、毎日使うモノを一つ、大好きなものに替えるだけでこんなに毎日ウキウキ気分になるんですね」

清潔でお料理をするのが楽しくなってしまうキッチンが私の理想です。

Kitchen

仕事部屋は
実用一辺倒ではなく、
遊び心も大切

アイデアやインスピレーションがどんどん湧いてきて、やるべき仕事がさくさく進むお部屋。そんな理想の仕事部屋があれば、最高ですよね（私も欲しいな）。もちろん、デスクの上はいつでもスッキリ。本棚には仕事用の本と書類が自分ルールのカテゴリー分けでぴしっと並び、余計な書類はため込まず、どこにどんな書類が入っているかはバッチリ把握。書類はもちろん、引き出しの中の文房具などの小物もすべて立てて収納してあり、引き出しを開けるだけで収納場所は一目瞭然。だからといって、けっして実用一辺倒ではなく、遊び心のあるメモやクリップや好きな色のファイルを使ったり、机の上には小さな観葉植物を置いてみたり……。ペンはお気に入りの一本をメインに、あとは色ペンやシャープペンシルを用途に分けて必要な分だけ持つようにします。

あるお客様は、会社でも「片づけ祭り」を実践。毎朝出社するとデスクをから拭きし、ペパーミントやラベンダーなどのアロマをその日の気分に合わせて香らせてから仕事を開始。仕事が終わったあとはノートパソコンのコードを抜いて定位置に戻し、パソコンも本棚の定位置に立てかけ、机の上は電話器だけの状態にして退社しているそうです。

Workroom

寝室は一日の疲れを癒す
エネルギーの充電基地

私が理想とする寝室は、清潔なシーツと枕カバーをかけたベッド（もしくはおふとん）があって、毎晩、その日一日に感謝しながら穏やかに眠りにつけるようなお部屋。天井の照明と壁にかかっている絵は、選びに選び抜いたとびきりのお気に入りです。寝る前にはクラシックやリラクゼーション系の静かな音楽が流れ、ラベンダーやバラなどの少し甘い香りのアロマをたきます。枕元には一輪のお花が飾ってあるといいですね。そして、目が覚めたときに一番に目に入るのは、寝室の一角につくったときめきコーナー。

あるお客様が片づけをして真っ先に替えたのは、ベッドカバーと枕カバーのセットでした。それまでは、ブルーのシーツをなんとなく使っていたけれど、押し入れの奥にパッケージのまましまい込まれていたピンクのシーツに替えたとたん、マメにお洗濯をするようになり、毎日、清潔なシーツで寝る心地よさとピンク色が好きな自分に目覚めたといいます。

「寝る前に部屋の中をぐるっと見回しながら、目に入るモノ一つひとつに、ここにいてくれてありがとうって心の中で声をかけながら寝るようになりました」

寝室を、一日の疲れを癒すエネルギーの充電基地にできれば最高ですね。

Bedroom

バスルームには一切モノを置かないと決める

私はバスルームにはモノを置かないことに決めています。シャンプーなどはお風呂に入るたびに持ち込んで、使ったあとは水滴を拭いて定位置に戻しているので、水アカがたまることもありません。ピカピカに掃除されたお風呂に入ると、その日の疲れがすっかり抜けて、生まれ変わったみたいに体が軽くなります。

片づけを終えたお客様の中には、お風呂の入り方が変わったという人が少なくありません。その日の気分で入浴剤を変え、たまにはお花を持ち込んだり、キャンドルの明かりだけで入浴してみたり、お風呂タイムがグッと長くなったというのです。あるお客様からはこんなメールをいただきました。

「ついに、念願のバラ風呂を体験しました！　お部屋に飾っていたバラがしおれそうだったので、花びらをほぐしてお風呂に浮かべてみたんです。バラ風呂なんて私には一生縁がないものだと思っていましたが、あっけないほど簡単に自宅でできてしまうんですね。今、毎日のお風呂タイムが最高に幸せです」

世界に冠たる日本のお風呂文化を満喫するためにも、バスルームの過ごし方は重要です。モノを置かないと決めるのは一見、無謀に思えるかもしれませんが、やってみると案外、簡単にできてしまうもの。どうぞお試しください。

Bathroom

トイレは滞らないよう、
自由にアレンジする

トイレも清潔感が命。収納するべきモノも収納場所も少ないので、掃除がマメになされていることが一番大事なポイントです。滞在時間は短いけれど、トイレはおうちの中のいわば、毒素排出ルーム。何よりも滞らないことが大切です。

マットやスリッパのトーンをそろえ、洗剤やペーパーのストックはカゴに入れたり、布で隠したりして、見えない状態にしておきます。化学的な芳香剤の香りではなくユーカリやウッド系などのさわやかな天然のアロマが、私は好きです。あとは、ときめくポストカードや置物などを季節や気分によって配置してみます。

一度だけ、お客様のおうちの中で、「どこでもドア」を開けたかのような錯覚に陥ったことがあります。トイレのドアの向こう側が別世界だったのです。まず、目に飛び込んできたのは、すべての壁面にぐるりと貼られたウォールシール。下半分には床から茎の長いポピーの花が生えているようにシールが貼られ、その上には鳥や蝶々《ちょうちょう》の飾りがヒラヒラと舞っています。床には緑のもこもこした素材のマットが芝生のように敷き詰められて、まるでお花畑の真ん中にいるようでした。

おうちの中って、じつはもっと自由でいいんだな、とあらためて思わせてくれた出来事です。

Toilet

第4章

「片づけ祭り」を楽しむ

1 片づけは一気に、短期に、完璧にやり抜く

「毎日少しずつ片づける」を続ければ、いつかは片づくと思っていませんか。
断言しますが、それでは一生、片づけられないまま終わります。
片づけは、一気に、短期に、完璧に、やるべきものです。
なぜなら片づけは「祭り」だから。
一気に片づけることで、意識の変化を劇的に起こすのです。
すると、二度と元の散らかった状態に戻りたくなくなります。
そうなればしめたもの。
なぜなら「片づけはマインドが九割」だから。

2

「理想の暮らし」を思い浮かべる

片づけはたんなる手法であって、それ自体が目的ではありません。
ですから、最初にやるべきことは、「理想の暮らし」を考えること。
いきなりモノを捨てたり、収納したりするのではなく、
一切の制限なく、究極の理想の暮らしをイメージしてみてください。
片づけたあと、いったいどんな暮らしをしたいのか。
インテリア雑誌を片っ端から一気に読んで、「こんな暮らしがしたい」と
心から思える写真を見つけるとよいでしょう。
「理想の暮らし」を思い浮かべることが
片づけのモチベーションアップになるのです。

3 「何を残し、何を捨てるのか」を見極める

まずは「捨てる」を終わらせてください。

つまり、自分のあらゆる持ちモノを見極めるのです。

何を残し、何を捨てるのか。

これを終わらせる前に収納に走ると、必ずリバウンドします。

「捨てる」作業を終えるまでは、収納について考えてはいけないのです。

なぜなら、どこに収納すべきか、悩んでしまうから。

片づけが進まない一番の原因は、これです。

モノを見極める作業とモノを収納する作業を

完璧に分けることが肝心なのです。

4

「触ったときにときめくかどうか」で判断する

残すモノと捨てるモノをいったいどうやって選ぶのか。
それは、触ったときにときめくかどうか。
モノを一つひとつ手にとり、ときめくモノは残し、
ときめかなかったモノをすべて捨てるのです。
そうすると、あなたの持ちモノはすべてときめくモノだけになります。
大事なのは、どれを残すかです。どれを捨てるかではありません。
想像してみてください。ときめくモノだけが置かれたおうちと暮らしを。
そして、モノを捨てるときは
「今まで私を支えてくれて、ありがとう」といってみてください。

5

正しい順番で「モノ別」に片づける

もしかして、場所別・部屋別に片づけてはいませんか。

それがリバウンドする大きな原因の一つです。

正しい順番で「モノ別」に片づけることを肝に銘じてください。

つまり、衣類、本類、書類、小物類、思い出品、の順番で片づけを進めていくのです。

この順番で「モノを選び抜く作業」をしていくことで、「ときめき感度」を上げていくことができます。

思い出品の代表格である写真は一番最後です。

途中で写真の片づけをやると、ほぼ間違いなく挫折します。

6 「衣類」を一か所に集め、積み上げる

まず、家じゅうにある自分の衣類を収納から一つ残らず出して、一か所に集め、積み上げてください。

あまりの多さにびっくりしませんか。

これらはすべてあなたの服なのです。

これらの衣類をカテゴリー別に、一気に選び抜くとよいでしょう。

トップス、ボトムス、かける服（ジャケット、スーツ、コートなど）、靴下類、下着類、バッグ、衣類系小物（マフラー、ベルト、帽子など）、イベントモノ（浴衣《ゆかた》、スポーツウエア、水着など）、靴、の順番で、分けて選んでいくのがおすすめです。

バッグや靴は衣類を片づけるときにいっしょにやってしまいましょう。

7

「本類」は読まずに触るだけで選ぶ

本棚にあるすべての本を一冊残らず、床に並べてください。
積み上げた本を一冊一冊手にとり、残すか捨てるか、判断します。
もちろん基準は、「触ったときにときめく」かどうか。
その際、中身はけっして読まないでください。
なぜなら、読んでしまうと、時間はかかるし、
ときめくかどうかではなく、必要かどうかで判断してしまうから。
読んだ本も読んでいない本も、「いつか読むかもしれない」と思いがちですが、
その「いつか」は永遠に来ないのです。
自分にとって大切な「殿堂入りの本」はたとえ読むことがなくても、
手元においていて、大事にするとよいでしょう。

8

「書類」は全捨てを基本に考える

書類は全捨てが基本です。

なぜなら、あえて「全捨てが基本」といわないと、

膨大な量の書類が残るハメになるから。

残すべき書類は、

「今使っている」「しばらく必要である」「ずっととっておく」の三つ。

いずれかに該当しない書類は、すべて捨てるという意味です。

あたりまえのことですが、契約書類や確定申告に必要な書類などは

捨ててはいけません。

期限の切れてしまった電化製品の保証書、何年も前の年賀状、

カードの明細書などは捨ててしまってもだいじょうぶです。

9

「小物類」はなんとなく持つのをやめる

いつの間にか、なんとなく、たまっていくモノ。
それが小物です。
手ごわい小物類を整理する基本の順番は、
CD・DVD類、スキンケア用品、メイク用品、アクセサリー類、
貴重品類（印鑑・通帳・カード類など）、機械類（デジカメ・コード類など）、
生活用具（文房具・裁縫道具など）、生活用品（薬類・消耗品類など）、
キッチン用品、食料品、その他、となります。
残すと決めた小物は、「なんとなく持っているモノ」ではなく、
「いっしょに暮らすモノ」として大事にしてあげましょう。

10

「思い出品」は最後に片づける

いよいよモノを選び抜く作業の最終段階。思い出品の片づけです。
思い出の詰まった品々を捨てることも、
ここまで片づけのできたあなたなら、できるはずです。
なぜなら、「ときめき感度」が見違えるように上がっているから。
写真も一枚一枚、手にとってときめくかどうかで、
判断していきましょう。
思い出のモノも、手で触って捨ててあげることで、
人は初めて過去と向き合えるのです。

11

「あるべき場所」にモノを納める

収納の達人にならないでください。
なぜなら、モノをため込みがちになるから。
収納は、極限までシンプルに、考えてください。
基本は「持ち主別」と「モノ別」にまとめること。
「持ち主別」に分けるのは、誰でも自分だけの聖域が必要だから。
その際、行動動線と使用頻度は無視してだいじょうぶ。
一番大切なのは、あらゆるモノの定位置を決めること。
あなたを一生懸命支えてくれている
モノのおうちをつくってあげてください。
収納とは、あるべき場所にモノを納める神聖な儀式なのです。

第5章

とにかくたたむ、とにかく立てる

「毎日がときめく暮らし」を実践していくうえで、
洋服をたたむことによる効果ほど、即効性のあるものはありません。
たったこれだけのことで、
洋服の収納問題はほぼ解決するといってもよいでしょう。
「かける収納」から「たたむ収納」に変えることで、
収納スペースに明らかな余裕が生まれるのです。

洋服をたたむという行為は、効率よく収納するための、
洋服を折り曲げるだけのたんなる物理的な作業ではけっしてありません。
自分の手で洋服に触ってあげることで、
じつは洋服に愛情やエネルギーを注いでいるのです。

だから、たたむときは、
「いつも私を守ってくれて、ありがとう」という
気持ちを込めて、たたんであげてください。

そうすると、なんとなく洋服も喜んでくれているように見えるから不思議なものです。

正しいたたみ方のポイントは、一つだけ。
「できあがりがツルンとしたシンプルな長方形」を目標にたたんでいけばよいのです。

それぞれの服には、その服にとって一番心地のよい、しっくりくるたたみ方というものがあります。
それを私は「ゴールデンポイント」と呼んでいて、ピタリと決まる「ゴールデンポイント」を探しながら、一枚一枚たたんでいくのです。

洋服のたたみ方一つで、毎日がときめくなんて、本当に素敵なことだと思いませんか?

Tシャツ

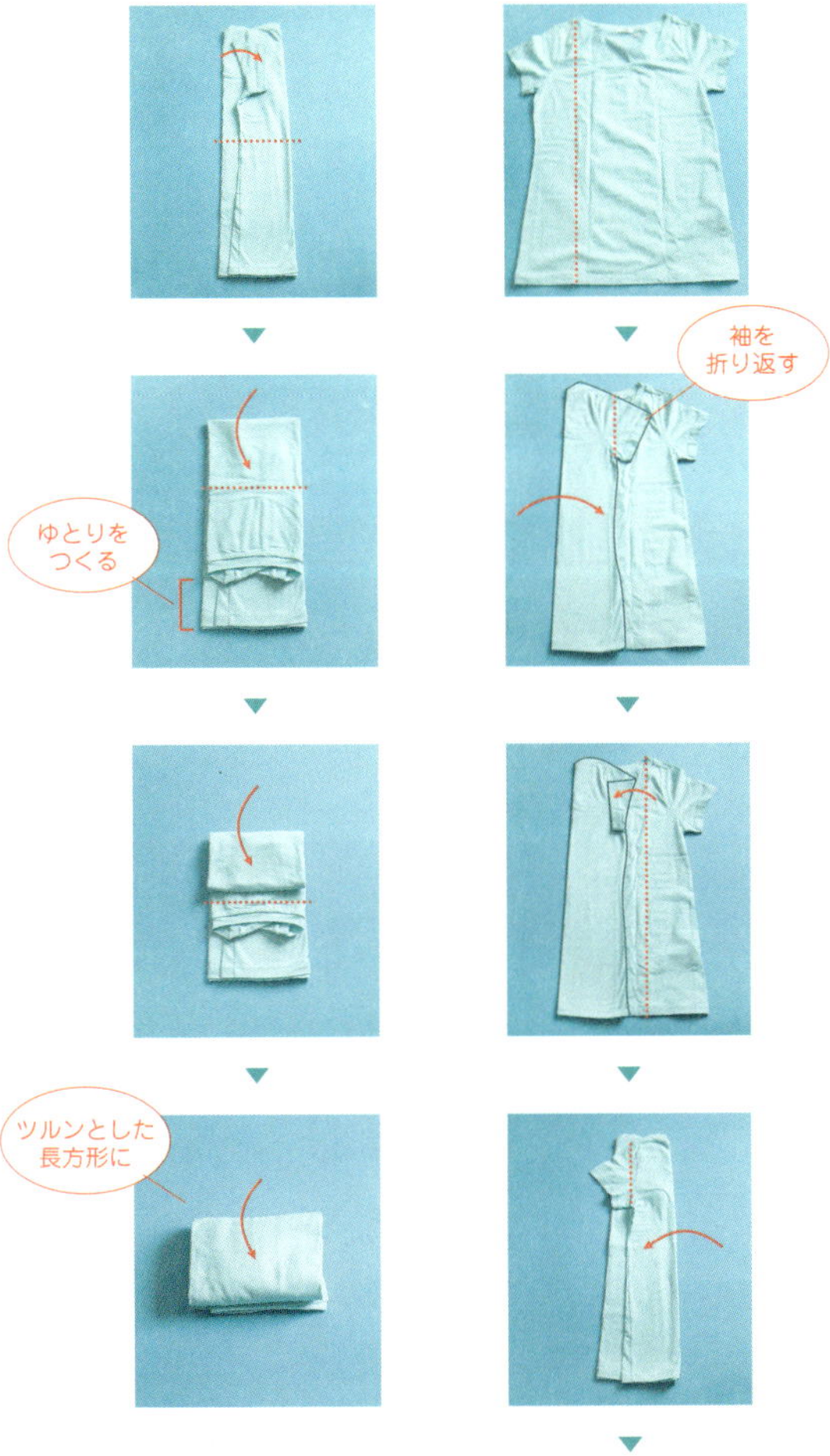
袖を
折り返す
ゆとりを
つくる
ツルンとした
長方形に

長袖
袖を反対側の辺まで
きっちり持っていく

ツルンとした
長方形に
ゆとりを
つくる

たたむ回数は
パンツの長さで
調整する
パンツ

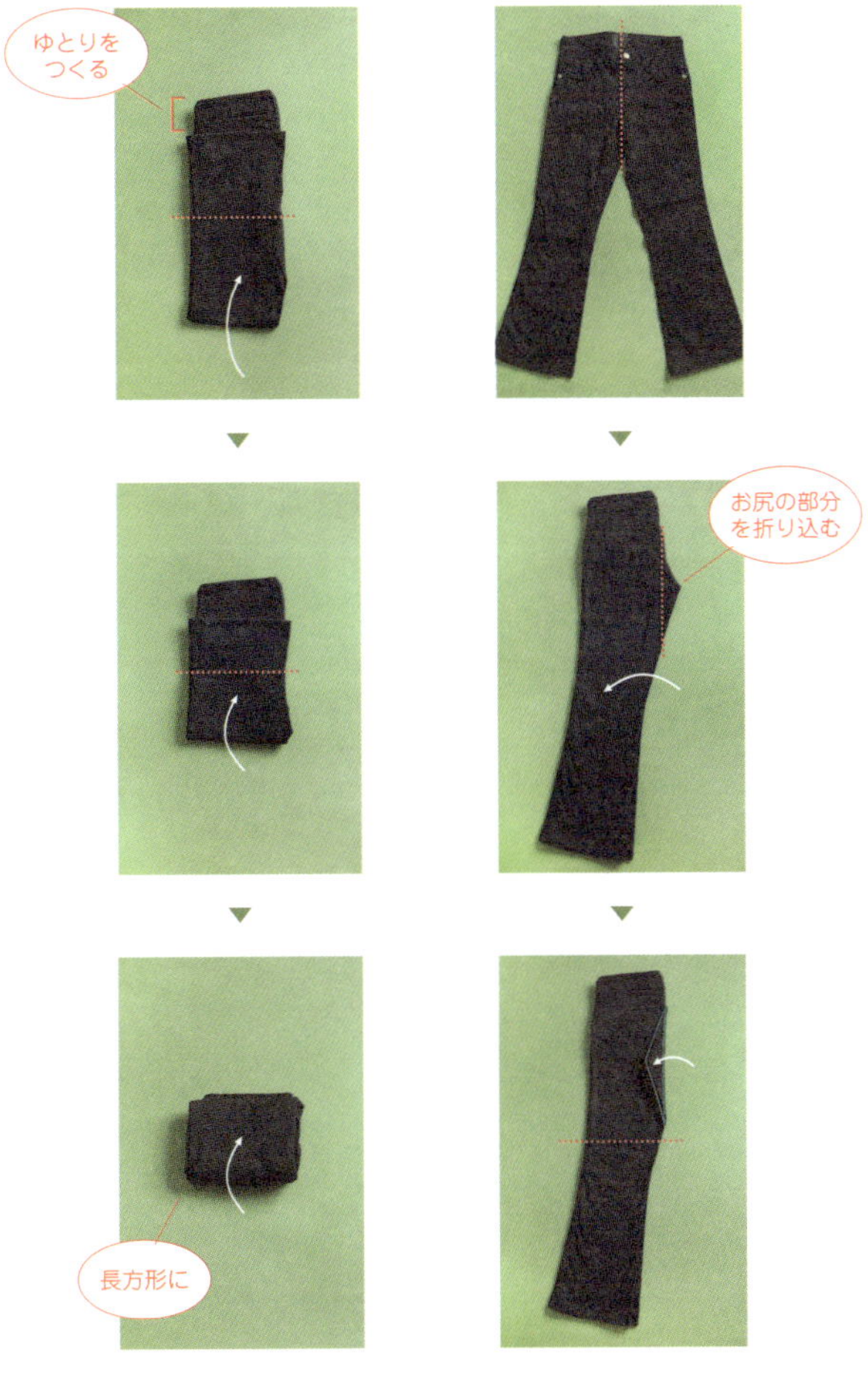
お尻の部分
を折り込む
ゆとりを
つくる
長方形に

スカート

ゆとりを
つくる
ツルンとした
長方形に

ワンピース

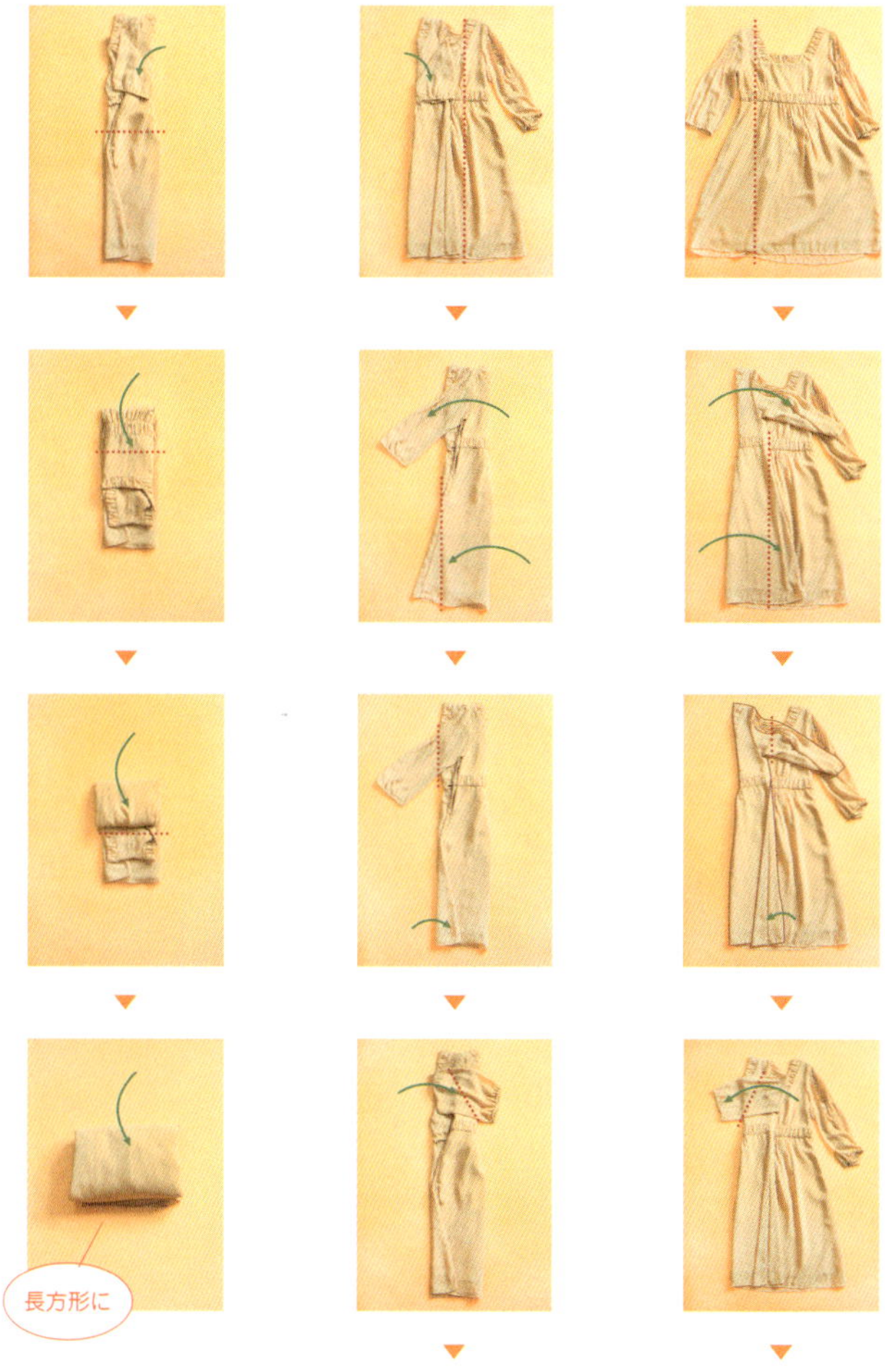
長方形に

キャミソール

ストラップも
含めて半分に
折る
ゆとりを
つくる
ツルンとした
長方形に

パーカー

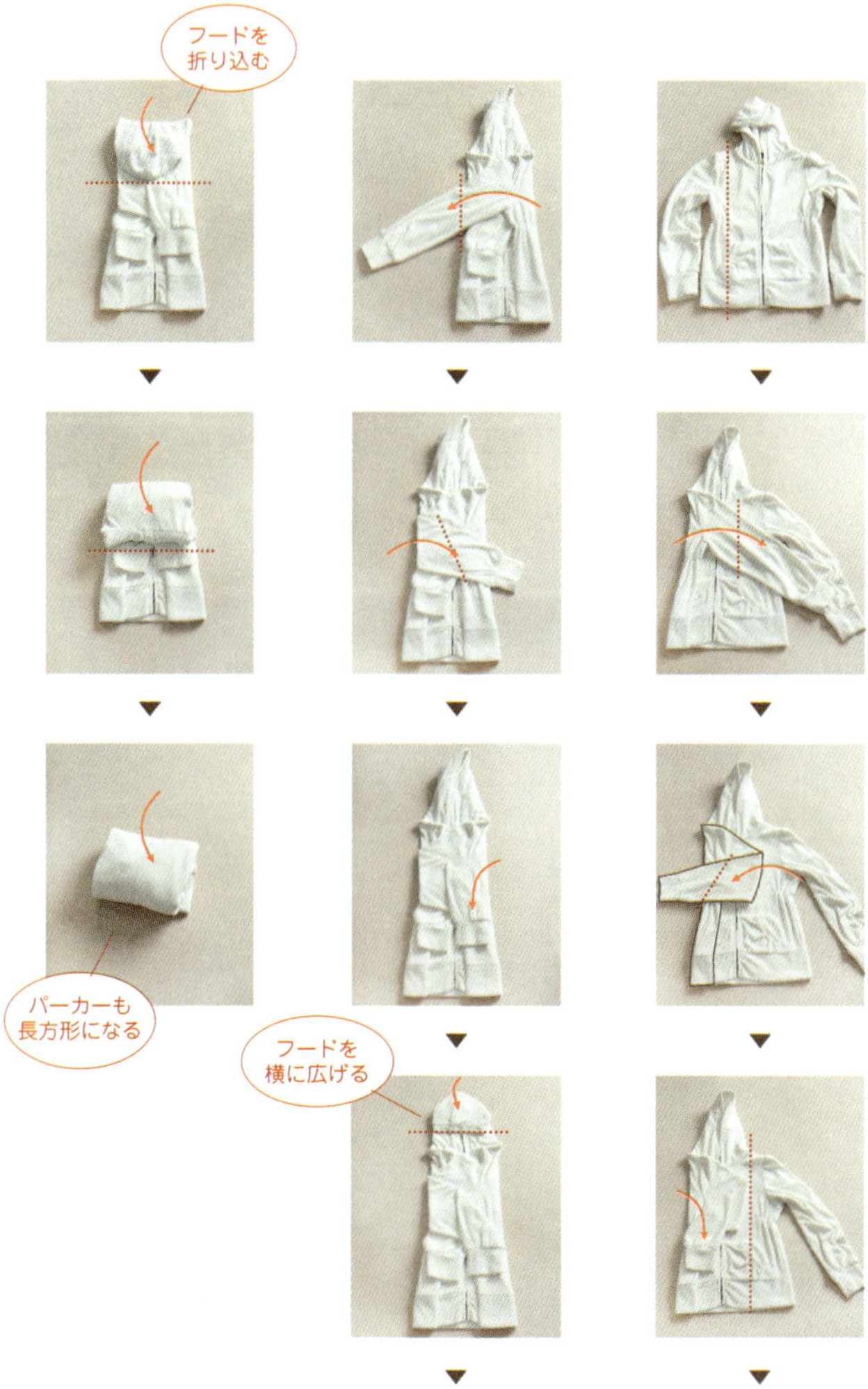
フードを
横に広げる
フードを
折り込む
パーカーも
長方形になる

靴下と
ストッキング

ストッキングは
くるくる巻き、
靴下は重ねて折る

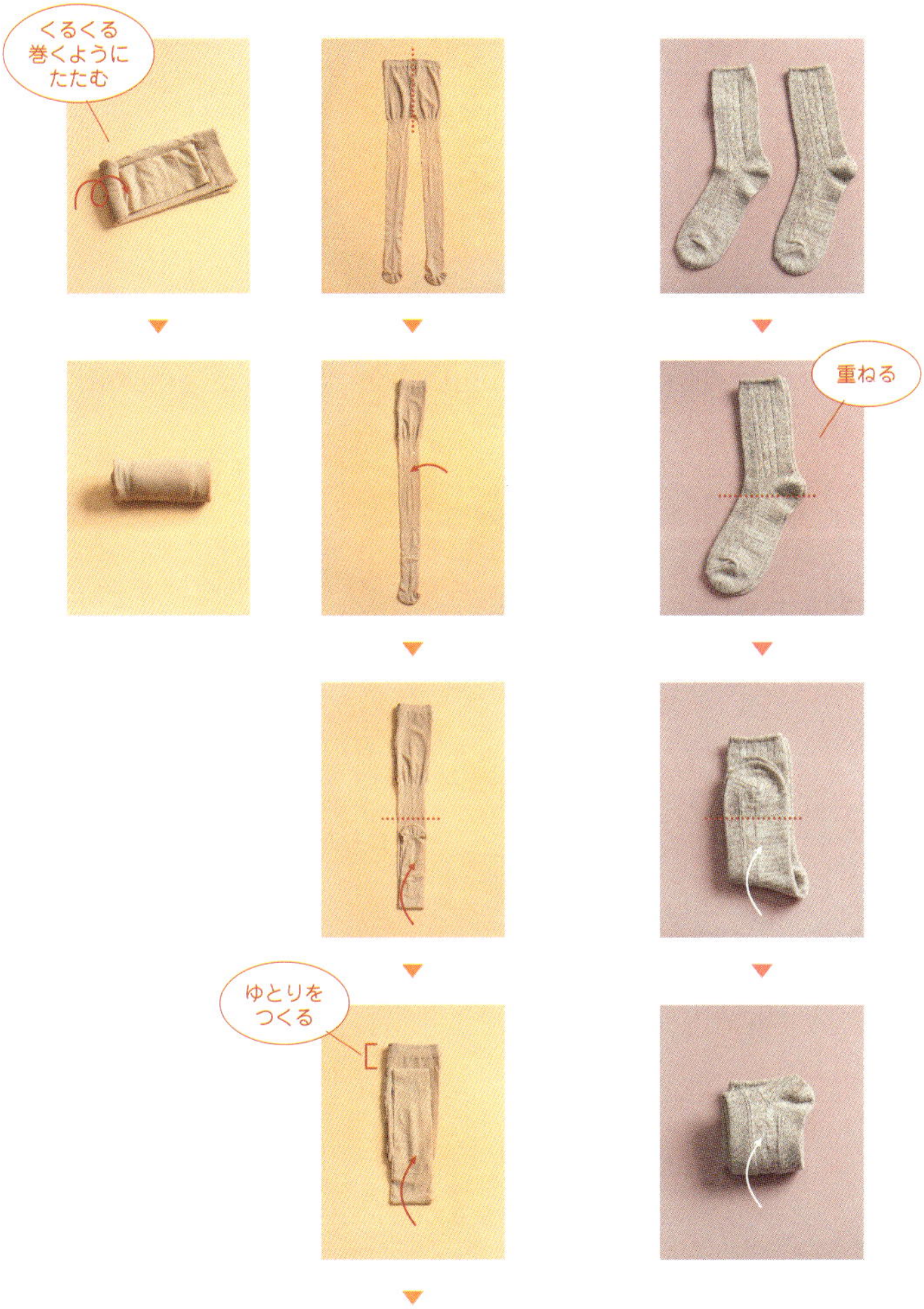
くるくる
巻くように
たたむ
ゆとりを
つくる
重ねる

ブラジャー と ショーツ

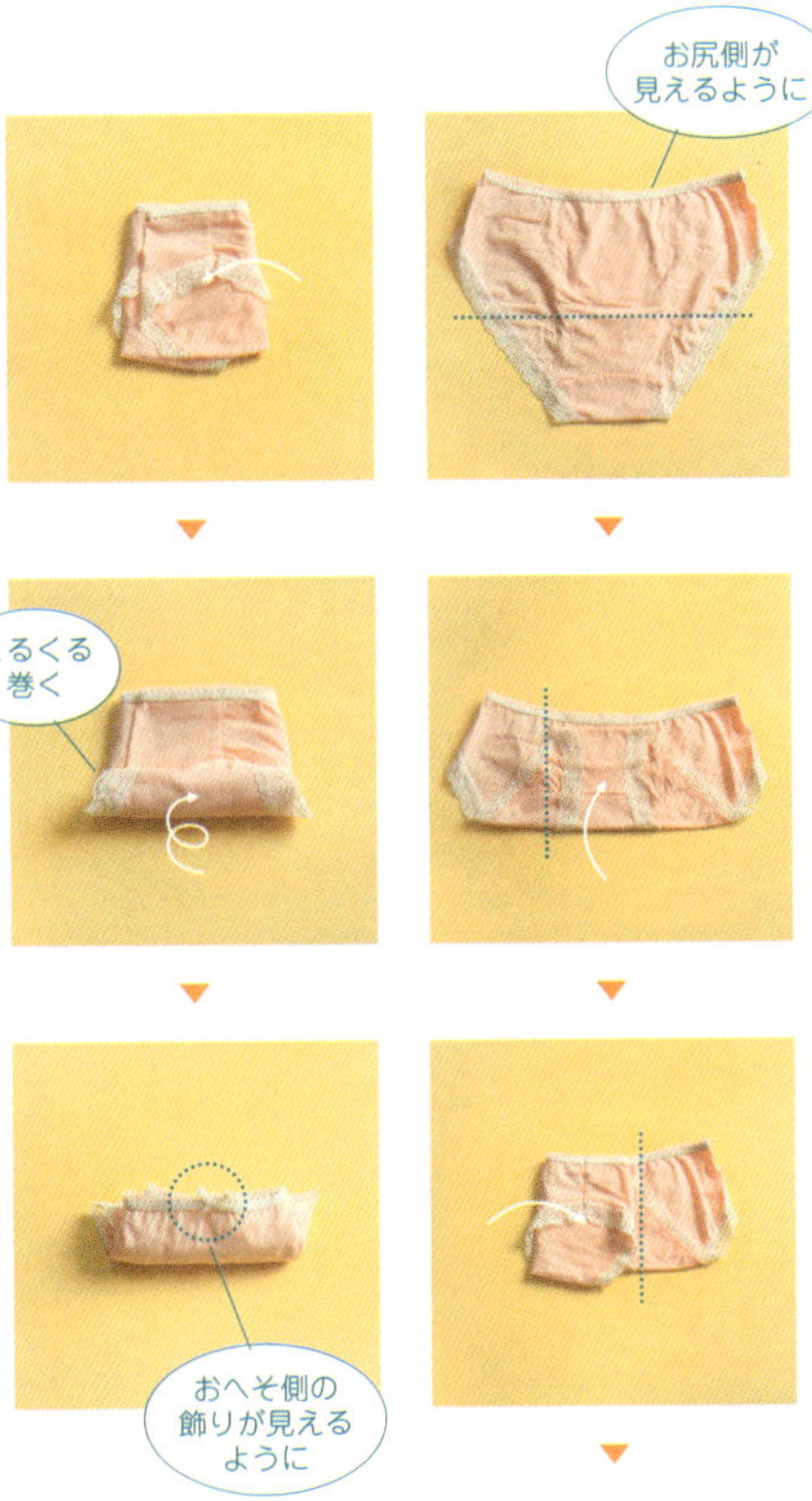
お尻側が
見えるように
くるくる
巻く
おへそ側の
飾りが見える
ように

ひもを
カップの中に
入れる

ブラトップ

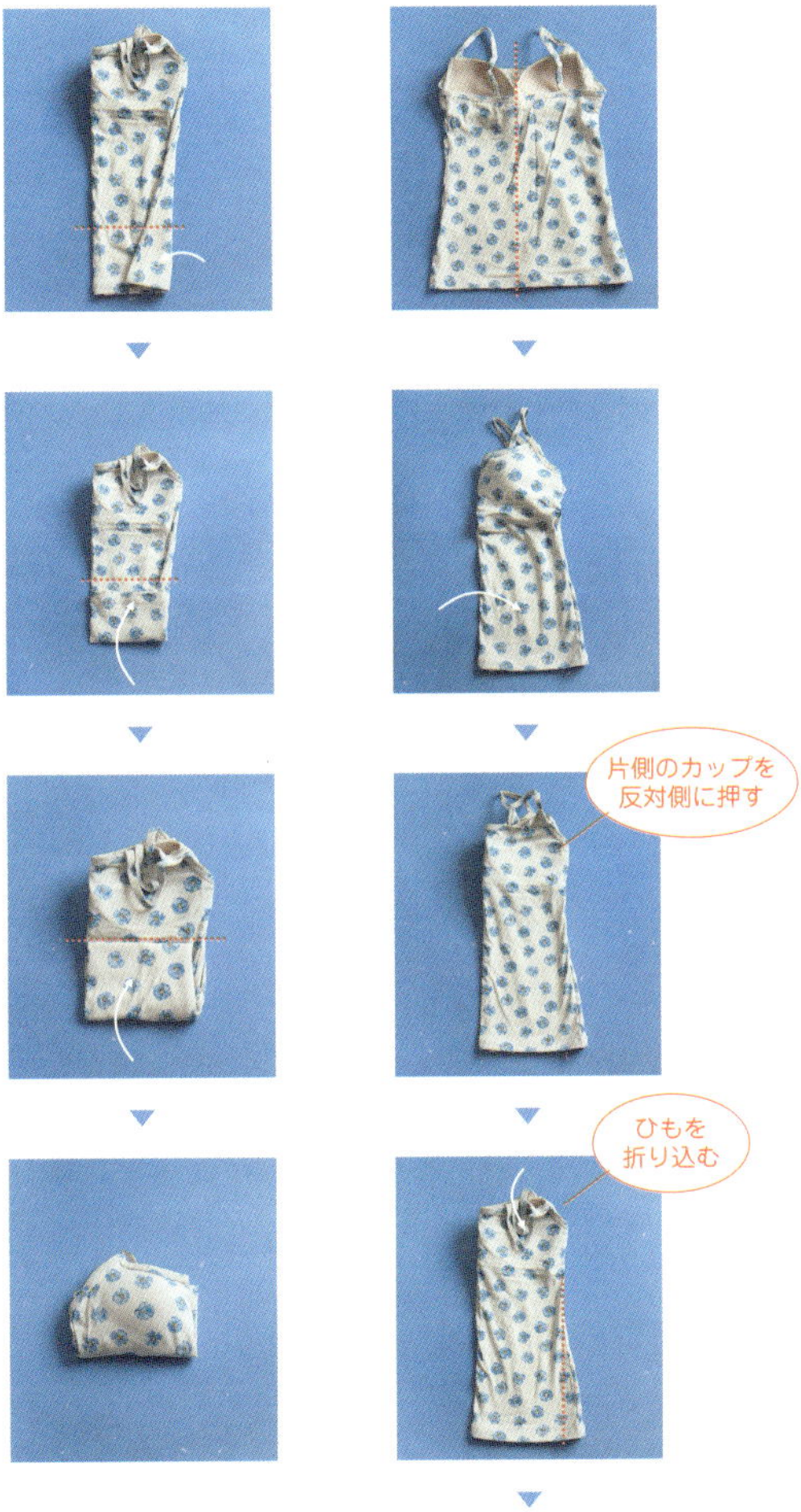
片側のカップを
反対側に押す
ひもを
折り込む

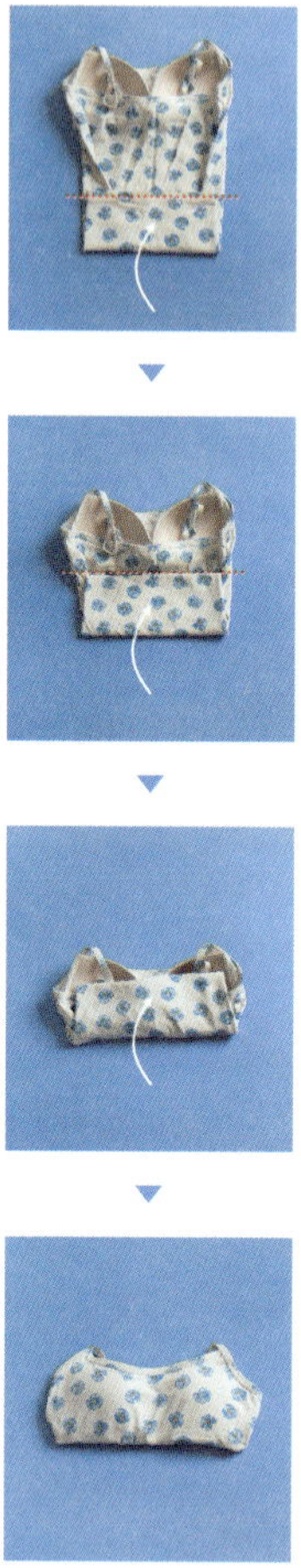

ブラジャーと
いっしょに
収納する場合
ひもを
カップの中に
入れる

第6章

毎日がときめく「ちょっとしたこと」

靴の裏をマメに拭くと幸運が舞い込む

私にかぎらず、女性は靴が好きな生き物です。ひと目惚《ぼ》れして靴を買った経験は、女性なら一度や二度ではないでしょう。

じつは以前、ひたすら靴を見つめつづけてみたことがあります。

持っている靴を玄関にすべて並べ、その前に正座して、じっと彼らを見つめること、小一時間。

なんでこんなことをやったのか、うまく説明できないのですが、ひと言でいうと、「靴の悩み」を聞いてあげようと思ったわけです。お店で出会ったとき、あんなに輝いていた靴が、下《げ》駄《た》箱でなんとなくいじけているような気がしたから。

そうだ、靴を磨いてあげよう。

さっそく靴磨きセットを取り出して、キュッキュッと一つひとつの靴を磨いて

いきました。すべての靴をピカピカに磨き終わって、「よし、スッキリ」と靴を再び新聞紙の上に置いたとき、ようやく靴の声が聞こえたような気がしました。「裏も拭いてほしい」と。


おうちの靴箱を開けてみてください。

このとき「うっ」となるか、「うっとり」となるか。

違いは、置いてある靴のよしあしや、値段が高いか安いかではないようです。

あるとき、片づけレッスンをしていてふと違和感に気づいたことがありました。

やっていたのは靴のお片づけ。いつものように一か所にすべての靴を集めて、一つひとつ手にとって、「ときめきますか」と聞いていくのですが、何かが違う。

まず見た目。玄関と廊下にズラリと靴が並べられた下には、古い新聞紙がガサガサと二重に敷いてあります。そして、お客様の手つき。ときめくモノさえ指先でつまむような感じで、おそるおそる手にとっているようです。

さらに思い返してみれば、「すべての靴を出してください」といったときのお客様の顔。そういえばちょっと、引きつっていたような……。

そうです。靴自体が、なんとなく「汚れモノ」扱いされていたのです。

買う前は宝石のようにディスプレイされることさえあるのに、靴ほど買う前と使いはじめたあとの扱いが違うモノもないでしょう。

外の汚れが無数にくっついているから、というのがもちろんその理由なのですが、そうした汚れと直接日々向き合いつづけてくれているのが靴なのです。

間違いなく、靴の仕事はあらゆるモノの中で一番ハード。

出勤時には「お隣さん」である靴下やタイツたちと、「暑いね、ムレるね」「でも、頑張ろう」なんて励まし合いながら働いているのですが、内心は「いや、でもキミたちは毎回洗濯されてリフレッシュしていいよね」というのが靴の本音なのです。

さらにいうなら、靴の中でも表面と底には格差が存在します。

表面はわりと嬉々《きき》として磨いてもらえて、磨き上がったあとはホレボレと眺められたりするのに、底にはそんな機会はめったにありません。

本当の意味で身をすり減らして汚れ役を引き受けているのは靴の底なのに、なんと非情なことでしょう。

つまり、いたわるべきなのは靴の表面より、まずは裏。そう、靴底です。靴底の地位はもっと引き上げられてしかるべきです。

というわけで私は、夜寝る前か朝起きたとき、玄関の三和土《たたき》を水拭きするついでに、靴の裏を「いつも私を支えてくれて、ありがとう」といって拭くのが習慣になっています。

もちろん忙しいときは省略してしまうこともあるのですが、靴の裏を拭いたときの、なぜか心がまるごとクリアになるような感覚は、ほかの部分の掃除ではちょっと味わえないレベルです。

靴の裏がきれいになると、それにふさわしい場所に行けるような気がします。「よい靴はよいところに連れていってくれる」という言葉を聞いたことがありますが、正確にいうなら、連れていってくれるのは靴の裏。だって、地面と一番近くでつながっているのですから。

マメに靴裏を拭いておけば、ふと立ち寄った場所で欲しかったモノが見つかったり、ふらりと入ったお店が大当たりだったり、なんてことが起こるかもしれませんよ。

玄関の三和土は神社の鳥居と同じと考える

おたずねします。

タタキを拭いていますか？　タタキとは玄関の三和土のことです。

これも一見、面倒くさいように思えますが、毎日がときめく暮らしを送りたい方におすすめの習慣です。

私の場合、その歴史は長く、靴の裏を拭くようになるずいぶん前から、三和土を拭く習慣を続けてきました。

始めたのは高校生の頃。書名は忘れたのですが、風水の本で「玄関の三和土を毎日拭くと運気が上がる」という内容を目にしたのがきっかけでした。

いわく、玄関はおうちの中ではご主人様の顔のようなもの。ご主人様の顔をいつでもピカピカにすることによって、おうちの格が上がってよい運気が玄関から入ってくる……という内容だったような気がします。

当時はその言葉を文字通り素直に受け入れて、「つまり、タタキとはお父さんの顔ということか」と父の顔を拭くような気持ちを込めて、雑巾でキュッキュッとしていました。でも、そう思ってやっていると、なんだか、父に申し訳なくなってきて、途中からはひたすら無心で三和土を磨くことに専念。

不思議に思ったのが、毎日ちゃんと拭いているにもかかわらず、必ず雑巾にはけっこうな具合で汚れがついてくるということでした。

「一日、外に出ていただけで、人はいろんな汚れをもらってくるものなんだな」

「この汚れを毎日リセットして、また働きに出るのを繰り返すことが人類の営みというものか」

制服を着たまま、雑巾片手に生きる意味をボンヤリ考えている姿は、今思い出してもおかしな光景です。

片づけの仕事をするようになってからも、お客様には「玄関のタタキを毎日拭くと運気が上がりますよ」と本の請け売りでそのまま伝えていたのですが、あるときお客様からこんな言葉を聞きました。

「つまりタタキは、神社の鳥居みたいなものなんですね」

以前私は、巫女《みこ》として働いていたことがあるので、神社に参拝するとき、鳥居をくぐることによって体についた穢《けが》れや厄を落とすことができる、という話は聞いたことがあります。

通るたびにその日の汚れを引き取る役割がある三和土は、まさに鳥居のようだというのです。

また、あるお客様はこんな名言をつぶやきました。

「タタキを拭くと消えるのは、自分に対する『後ろめたさ』なんですね」

つまり、本来、おうちの中であるはずの三和土に汚れがたまっていたことで、知らず知らずのうちに、「自分ってダメな人間だな」という感覚がしみついていたことに気がついたというのです。

どういうわけだか、三和土を拭く習慣を始めた人たちから、ちょっと神秘的で、哲学めいた言葉が出てくるのが印象的でした。

靴の裏を拭いて、玄関の三和土までもピカピカにすると、「もう、おうちの中には後ろめたいことがないぞ」という芯の強い自信のようなものが満ちあふれてくるのと同時に、「おうちとは神聖な場所なんだ」という敬虔《けいけん》な気持ちが芽生えるようです。

そう考えると、三和土のあの小さなスペースは、「心を清める場」なのかもしれません。「三和土を拭くことで運気が上がる」というのも自然とうなずけます。

「幸せは玄関からやってくる」ともいわれるように、たしかに玄関を拭くと、おうちを通る風がふっと軽やかになるような気がしませんか。

おうちの中を神社のようなパワースポットにしたいなら、毎日の三和土の掃除をぜひ、習慣にしてみましょう。

夜寝る前に「ときめきスクラップブック」を眺める

夜、ベッドの中でハーブティーを飲みながら、お気に入りの画集や写真集をパラパラ眺めつつ、うっとり眠りにつく。

映画かドラマで目にした一場面なのか、はたまた雑誌に載っていた一枚の写真なのか、小さい頃からそんな夜の過ごし方に憧れていました。

この夢を実現するのに必要なのは、素敵な絵や写真がたくさん載ったお気に入りの一冊。

でも、これを見つけるのが、意外とむずかしいのです。

図書館に行っておしゃれなインテリア雑誌を読みあさったり、本屋さんの洋書コーナーで写真集を買ってみたり、とにかく「運命の一冊」を探し求めて奔走してきました。

そうして、やっと見つけたのが、一冊の図録。イギリスのヴィクトリア王朝で使われていた食器が載っている図録で、展覧会の会場で手に入れたものです。

ページをめくるたびに現れる、繊細な花の模様が施されたお皿や、フタのツマミが鳥の形をしたティーポット、ブルーのラインが優雅に引かれたときめくティーカップたち。実際、美術館で実物も一度見ているので、本物の輝きを思い出してさらにうっとり。

しかし、ここで問題が起きました。

美術展の図録というものはとにかく大きくて分厚くて、ちょっとした辞書以上に重さがあるのです。

これを読みながらベッドで座っていると、グッと押されたみぞおちが三分間で痛くなり、うっとり眠りにつくどころではありません。本をペッタリと置いてうつぶせで読むという手もありますが、これだとハーブティーを飲むときにこぼしそうです。

いったい、どうしたらよいものか。

あらためて図録を見直してみると、二〇〇ページ近くもある中身の半分以上は作品の解説で、さらにその半分は英語の表記で私には理解不能。もっというと写真の中でも本当にうっとりするのは五、六点ほどで、ときめくページは実際のところ、驚くほど少なかったのです。

そこで、思いきってときめく部分だけをハサミでカット。チョコレート色のアンティーク風の表紙が気に入って買ったスクラップブックにペタペタ貼ってみたところ、予想以上に素敵なできあがりになりました。

それ以来、写真でもイラストでも、ときめくモノがあれば切り抜いて、このスクラップブックに貼るようにしています。

貼るのは、本当にときめく部分だけ。雑誌のモデルさんが履いている靴にときめいたのなら、カッターで靴の部分だけを切り取る。きちんとしたつくりの写真集なんかにハサミを入れるのは勇気がいりそうですが、ときめく部分のほかは全捨てにするのがマイルールです。

大切なのは、ときめいた写真をけっして逃さないこと。

たとえば美容室で読んだ雑誌に一枚のときめく写真を見つけたら、それをメモして、あらためて本屋さんに買いに走る。雑誌を一〇冊眺めても、残したいと思える写真は一枚あるかないかなのですから、ときめくモノとの出会いはそれだけ貴重なのです。

経験上いえるのは、小さなときめきを大事にしていると、なぜか、大きなときめきと出会いやすくなります。

ちなみに貼るときは、色別にページを分けています。

元気が足りないときはオレンジ系、ほっこりしたいときはグリーン系。じつは、「甘いモノが欲しいとき」用のケーキや和菓子のページというのもあって、ここが一番眺める頻度が高いかもしれません。

しばらくすると、ときめかなくなる写真もあるのですが、その場合は潔くベリベリとはがし、新たにときめいた写真を貼ります。

というわけで、「夜、ベッドの中でハーブティーを飲みながら、お気に入りの画集や写真集をパラパラ眺めつつ、うっとり眠りにつく」という私の野望は、ときめきスクラップブックのおかげで実現したのです。

おうちの「ツボ」を押さえると、おうちが健康になる

ツボ押しマッサージって気持ちいいですよね。

私の祖父は鍼灸師《しんきゅうし》で東洋医学の研究者だったので、私自身、小さい頃から体のツボや健康法については詳しいほうでした。

小学生の頃からひと通りのツボ押しマッサージや整体を受け、高校生のときには、体のツボにプスッと針を刺してそこから電流をビリビリ流す、いかにも怪しい装置の実験台に自ら志願して積極的にチャレンジ。

「健康とはつまり『巡り』だよ」といいつつ、ニコニコしながら容赦なく孫娘に針をぶっ刺す祖父の様子は、今思い出すとかなり珍妙な光景なのですが、それらのちょっぴり怪しい施術の効果のほどは、抜群でした。

そんな環境に育ったので、「ツボ」とか「巡り」などというキーワードがいつも身近にあるのが、私にとっては自然だったのです。

だから、片づけをしていても気になるのは、おうちの中の「ツボ」がどこにあり、漂っている空気の「巡り」がどうなっているのかということ。ちょっとヘンではと思われるかもしれませんが、片づけのプロならではの一種の職業病とお考えいただければよいでしょう。

ところで、おうちの中のツボといえば、どこだと思いますか?

つまり、そこをきれいにするだけでおうち全体の空気の巡りがよくなってしまうような場所のことです。

正解は、玄関・中心・水まわり。

正確にいえば、「ツボ」は無数にあるのですが、おうち全体の数あるツボの中で、攻略すると効果的なのがこの三つなのです。

トイレやキッチン、洗面所などの水まわりについては、一番生活感が出やすく、掃除をすればわかりやすくスッキリする場所なので、わりと簡単にご理解いただけると思います。

玄関については三和土のくだりでお伝えしたとおり、外から持ってきた汚れを落としてくれる鳥居のような役割なので、きれいをキープするべき場所です。

一番意外に思われるのは「中心」かもしれません。

私が片づけレッスンでお客様のおうちに初めてうかがうときには必ず、「おうちにごあいさつ」をする習慣があるのですが、このとき床に正座をする場所がこの中心のツボ。

といっても、このあいさつの習慣を始めた当初から「おうちの中心」に座ろうと決めていたわけではありません。

玄関から入っておうちの中へ進んでいく途中に、フッと空気の感じが変わるポイントがあって、そこがたいていおうちの中心近くだったのです。

具体的には、空気が渦を巻いて濃くなっているような感覚といいましょうか。この中心部分を片づけたり、掃除をしてきれいにしたりすると、玄関から入ってくる風の通りがグッとよくなって、おうち全体が軽い感じになるのです。

その中心部が廊下であっても納戸であっても、効果は同じなのが不思議なところなのですが……。

そういうわけで「家の中心はおうちのツボ」と勝手に決めていたところ、あるとき風水の本の中に、びっくりするような図を見つけてしまいました。

「気の通り道」という見出しがついたそのページには、玄関から入ってきた気が中心を通ってそのまま対角線上の壁側から出ていく道筋が描かれていたのですが、その「気」とやらが中心でぐるぐると渦巻いているではありませんか。

ふだん、自分が感じている「巡り」がそのまま図解されているようで、妙に納得したのを覚えています。

さて、この中心の「ツボ」について知ったところで、実生活にいったいどう生かしたらよいか。

特別なことは何もなく、ポイントはただ一つ、「ゴミを置かない」ということ。

その場所が柱だったり、ふつうに家具が置いてあったりしても、さほど気にしなくてもよいのですが、処分予定の不用品をためておいたり、ゴミ箱が置いてあったり、明らかにお役目終了のモノが置かれていたりすると、一気におうち全体にモヤモヤする感じが漂うので、それだけは要注意です。

そういえば、根っからの健康マニアで大往生した祖父が生前によくいっていました。

「表情は明るく、腸内は軽く。あとはきちんと風呂に入って日々の清潔さえ保てば、人は健康になるんだよ」

これをおうちにたとえて見ていくと、つまり、おうちの第一印象を決める顔である玄関は明るく、中心（腸）にはゴミを置かず、お風呂や洗面所などの水まわりはピカピカにして清潔にする。

この三つのツボを押さえておけば、いつでもごきげんでいられる健康的なおうちがキープできること、間違いありません。

不便な暮らしをとことん楽しむ

片づけの仕事をしていると、家庭の中のいわゆる「便利グッズ」の流行りすたりの歴史がはっきり体感できます。

ポテトチップスをつくる用具、洗って繰り返し使えるラップ代わりのシリコンシート、使いかけの食品の口を閉じるクリップ、洗剤いらずの洗濯リング……。登場以来、改良を重ねて家庭の定番となるモノもあれば、「意外と使いにくいのよね」といつの間にか消えてなくなってしまうモノまで、これまで何百という小物たちの栄枯盛衰を見てきたことでしょう。

そんななか、ここ数年、おうちの中でこれまでになく発見することが増えたモノといえば、間違いなく「壺《つぼ》」です。

といっても、飾り用だったり、不思議なパワーが宿る開運グッズの類だったり

ではありません。パカッとフタを開ければ、中は梅干しやみそ、醤油《しょうゆ》やぬか漬けなどの手づくりの保存食。壺というのはガラスや琺瑯《ほうろう》でできた大きめの保存容器というわけです。

「そんなの昔からあるモノでしょ」と思われる方も多いかもしれませんが、私のお客様は比較的首都圏に住む方が中心で、それまで家庭内でこうしたモノを見る機会はそれほど多くはなかったのです。

それが最近は、「手づくりスモークベーコンをつくったので味見してみませんか?」とか、「家庭菜園でつくった、にんじんなんですよ」とか。食べ物以外にも、布ナプキンをすすめられたり、中学生以来の裁縫を始める人がいたり……。

片づけが進むにつれ、中途半端な便利グッズが次々に減っていくのに反比例して、手間も時間もかかる暮らしを積極的に始める方が増えているようなのです。

しかも皆さん、とても楽しそう。

こうした人が増えた理由はじつに明確で、ズバリ、片づけをすると時間が余るから。「片づけ祭り」を終えた人が一番変化するのは、時間の使い方なのです。

掃除機をかけたり、今日着る服を選んだりする時間はもちろん、探しモノをしたり、はたまた何かの判断に迷う時間まで、それまでときめかないことに使っていた時間がとにかく余る。そうすると、ちゃんと時間をかけて、暮らしをていねいにして生きていきたくなるのが、片づけを終えた人の運命のようです。

先日、数年前に片づけを終えたお客様で、東京から地方に移り住んで子育てをしながら農業を営んでいるご夫婦にお会いしたとき、こんなお話を聞きました。

「テレビもないし、モノも減って前よりずっと不便な生活になっているけど、今のほうがずっと満たされているんです」

「代わりに体や手を使うことが多くなったからか、毎日、『生きてる』って感じがするんですよね」

そして、四歳になる娘さんがお庭で楽しそうに雑草抜きをするのを見ながら、「ちょっと足りないくらいの生活は、辛抱することを覚えたり、知恵を絞るようになったり、ちょっとしたことに感謝したりして、本当の意味で賢い人間を育てるのにちょうどいい環境かもしれないですね」というのです。

そんなお客様たちに影響されて、私も最近、みそづくりを始めました。

時間はかかるけど、食べられるようになる日が待ち遠しくなる気持ちは、これまでになく新鮮です。

壁を飾ることで「理想の風景」を演出する

ある日の片づけレッスンの真っただ中。私はなぜだか首元にタオルをかけられて、鏡の前に座っていました。

「メイクにおいて全体のバランスはもちろん大事だけど、要は顔ってパーツの集まりなの」

その日のお客様はメイクアップアーティストのSさん。

「顔のパーツには変えられるモノと変えられないモノがある。たとえば骨格は変えられない。住んでいるおうちの間取りは変えられないでしょ」

「肌はクリアならクリアなほどいい。床には余計なモノが置いてないほどいいのと同じね」

そして、大きなメイクボックスをパチンと開けて、即興メイク講座がまだまだ続きました。

「チークは脇役だけど、カラーや入れ方によって表情が全然違ってくるの。小さな間接照明みたいなモノかしら」

「そして、まつげはカーテン。目（窓）のまわりを縁どって、マスカラを重ねるほど、ますます重厚なカーテンをかけたみたいにゴージャスになっていく」

説明しながらテキパキと私の顔にチークとマスカラを重ねていくSさん。

「でも、一瞬で全体のイメージをガラリと変えたいなら、やっぱり髪型ね。なんといっても面積が広いし、盛ったり、飾りをつけたり、変幻自在なところがポイントね」

そういって私の髪をサッとまとめて、いろんなヘアアクセサリーを当てて見せてくれました。

「こんまりちゃんがいう『壁を飾る』必要性って、この『髪型を飾る』ことのようだといいたいんじゃないかしら？」

そうそう、「壁」です。いったいどんな流れでこの状況になったのか、ふと気づいたらSさんのメイク講座が始まっていたのですが、つい三〇分前まで、壁を飾る話をしていたのでした。

片づけが終わって部屋がさっぱりしすぎたと感じているなら、次にやるべきなのは間違いなく「壁を飾る」こと。

おうちのパーツを大きく分けると、床・壁・窓・ドアの四つですが、一瞬でイメージをガラリと変えるならやっぱり壁。なんといっても面積が広いし、小物を取りつけたり、絵を飾ったり、変幻自在なところがポイントなのです。

ちなみに私のおうちには、玄関やトイレなどにある小さいモノも含めると、一〇個近くの額縁が壁に飾ってあります。じつをいうと、ほとんどが私の手づくり作品。作品といえるかどうかはともかく、ポストカードを組み合わせたり、カレンダーを切り抜いたりして、市販のフレームに入れてつくったモノが中心で、おうちの壁に彩りを与えてくれています。

私の手づくり作品ではないのですが、お気に入りは、ちょっとした出窓くらいの大きさがある湖の絵。水辺の近くに住むのが夢だったので、「こんな景色が窓から見えたらいいなぁ」と思える一枚をあれこれ探しまわり、手に入れたモノです。

お客様のなかにも、おもしろい工夫をされていた方がいます。たとえば、星を見るのが好きで、夜寝るときにホーム用プラネタリウム装置を使って満天の星空を壁に映していた人。窓がなくても壁にカーテンを取りつけて、中にイングリッシュガーデンのポスターを貼って「花咲くお庭を見ながら朝ごはん」の夢をかなえた人。

つまり、「壁を飾る」ことで「お部屋から見た理想の風景」をつくることができるのです。

あなたなら、お部屋からどんな景色を見てみたいですか?

壁に何も飾りがないまま、というのはあまりにもったいない話かもしれません。

おうちを片づけたのに、なんとなくときめかないという場合は、おうちにときめきエッセンスが不足している証拠。まずは、壁を飾ることから始めてみてください。あっという間に、ときめくお部屋ができあがります。

床掃除は瞑想タイムの代わりとなる

「掃除機なしで暮らせないだろうか」

そんなことをふと思い立ったのは、長らく使っていた掃除機の故障がきっかけでした。

そもそも掃除機は重たかったし、コードの抜き差しもとっても面倒。ガーガーとした機械音もプワンと漂う電気の香りも苦手で、これを機会に床掃除の方法を見直してみようと考えたのです。

まずはじめに試したのは、柄のついた使い捨てのワイパー。けっして悪くはないけれど、使っていないときの柄の部分がやけに場所をとると思いませんか。ワイパー自体にときめかないことに気づいてしまった以上、やっぱり部屋に置きたくない。

ついに柄は人に譲ってしまって、付け替えのガーゼ部分だけで掃除をしてみることにしました。これは小回りもきいて、案外、ふつうに使いやすい。でも、こんなに厚みが必要なのでしょうか。

そしてたどり着いたのが、ティッシュペーパーで床を拭く方法。使うティッシュは駅前で配っているような目の粗いモノで充分です。

毎晩寝る前、パジャマ姿でティッシュをシュッと取り出し、心静かに床を拭く。夜の床掃除は私にとって、ちょっとした瞑想《めいそう》タイムの代わりになりました。

音はしないし、経済的だし、収納場所もいらない。これ以上の掃除法があるでしょうか。

と、一時期はこの方法をいろんな人にすすめまくっていたのですが、引っ越しを機にベランダの砂ボコリが入ってくるようになったことと、おうち全体では時間がかかりすぎてしまうということで、ティッシュブームは終了。結局、コードレスの軽い掃除機を購入するに至りました。

それでも、今でも私は床掃除といえば断然、「手で磨く派」です。最近はティッシュより雑巾で水拭きすることのほうが多くなりましたが、掃除機だけではなんだか力不足感が否めません。というより、一週間も床磨きをしていないと体がムズムズしてくるのです。

書名は忘れたのですが、ある整体の本に、「ひざを伸ばしてタッタッと床を雑巾がけする姿勢は、体のゆがみをとってバランスを整えるのに最高によい」というようなことが書かれていたのを読んだことがあります。なるほどその通り、五分も雑巾がけをしていると、呼吸はラクになり、背中はシャキッと整って、体調が抜群によくなるような気がします。

体が整うと心の芯までシャキッとしてくるのか、いろんなことの決断が速くなったり、小さなことでイライラしなくなったり……。

床磨き、それは家事ついでにできるヨガや瞑想みたいなものかもしれません。

もう一つ、体を使って床を磨くようになって気がついたのは、床掃除とは、おうちとの対話なんだということ。家の土台である床を「今日も一日、支えてくれてありがとう」と思いを込めて拭いていくと、なんだかおうちが反応してくれるようで、拭いたあとは床全体がほんのり温かくなるような気がします。

掃除機よりもワイパーよりも、おうちとの距離がグッと近づく、体を使った床磨き。おうちの床がフローリングなら、ぜひ、取り入れてみることをおすすめします。

洗剤は限界の限界まで少なくしてみる

学生時代、母の留守中に家の掃除をするのがブームだったときがありました。といっても親孝行がしたかったわけではなく、自分の部屋以外の場所を片づけたいという衝動を抑えられず、掃除でごまかしていたのです。要は、片づけのヘンタイ根性がはみ出てしまった、というのが本当のところ。

キッチンの排水口を漂白し、換気扇の油汚れを落とし、窓のサッシを拭いてと、用途別にあらゆる洗剤を細かく使い分け、人知れず汚れを落としていくのが快感だったのです。

ところが今はというと、私のおうちには洗剤はほとんどありません。

キッチン、洗濯機まわり、トイレにそれぞれ一本ずつ。あとは重曹一袋があるだけです。

おフロ掃除に至っては、洗剤は使っていません。お湯を抜いたあとの湯船にシャワーで冷水をかけて温度を下げたら、掃除専用にしているタオルで水分を拭きとるだけ。

冷水シャワーは実家で母がやっているのをマネしましたが、お風呂用洗剤の化学的な香りがどうしても苦手だったので、ためしにやめてみたところ、まったく問題なかったというわけです。

ただ一つやっていることといえば、おフロを拭いている間じゅう、「今日もさっぱりさせてくれてありがとう」「カビが生えないでいてくれてエライね」と声をかけていることくらい。

フローリングの床も以前は専用の洗剤を使ってせっせと磨いていましたが、今はもっぱら水拭き派です。使うのはごくふつうの白い雑巾。

使用済みの雑巾は黒い汚れが残り、干している光景はときめかないのですが、そこは目をつぶります。しっかりと水洗いして、洗濯物といっしょにベランダの目立たないところに干す。どうしても我慢できないくらい黒い汚れがとれなくなったら、網戸や室外機を思いきり拭いて捨てる。

キッチンのガスコンロも洗剤は使わず、お湯でサッと拭くだけ。これはお客様から習った方法で、油汚れでも使った直後なら水やお湯でオーケーなのです。

掃除を負担なく続けるコツは、道具を使いすぎないことだと私は思うのです。といっても私は掃除のプロではないので、細かい掃除のテクニックについては詳しくありません。

けれど、いろんなおうちを見てきた結論をいうと、どうやら、いつでもピカピカに保たれているおうちほど、掃除用品が少ないように思います。

キッチンに洗剤は一本、洗濯用の洗剤も一つか二つ、床掃除にも洗剤を使わず、いわゆる「これ一本でだいじょうぶ！」というような万能洗剤と呼ばれるモノだけを潔く使っているのです。

もちろん、そうした万能洗剤は多くの方が使っているのですが、万能洗剤を持ちつつ、ほかの細かい用途別の洗剤を持っている人と、潔く一本だけ持っている人を比べたら、間違いなく後者の方のほうがマメに掃除をしている、というのが私の見解です。

というわけで私も、主婦のお客様にいろいろ教えていただきつつ、どんどん洗剤は少なくなってきています。

「片づけ祭り」が一段落すると、掃除にこだわりはじめる人が多いようです。

洋服は堂々とワンパターンでいく

ときめくお洋服だけが残ったクロゼットは、その前に立つだけで心がウキウキしてしまうもの。

でも、片づけをしてどんどん服が減っていくと、「なんか、同じような服ばっかりになっちゃいました」とガッカリする方がたまにいらっしゃいます。同じブランドばっかりだったり、同じような色ばっかりになったり……と。

あるお客様の場合、残った洋服はベージュ系をベースに、色モノはグリーン系がほとんどでした。

「ファッション雑誌とかで『いつもワンパターンになるのが悩みです』というのを見たりすると、そういえば私も……って、不安になるんです」

赤やブルーの洋服を冒険して買ってみるものの、いざ着てみるとしっくりこなくてお蔵入り。

「それはお役目終了かもしれませんね」

そんなふうに私が背中を押してみても、「でもなくなると、またワンパターンになっちゃいます」とか、「会社の人に、『ベージュ女』とか『グリーン星人』とか思われないか心配です」と、かたくなです。

そこで私は、「お知り合いで、いつも同じテイストの服の人は思いつきますか？」と聞いてみました。

「そういえば、けっこういるかもしれません」

「その人たちを見て、『いつも同じ格好！』なんて思ったりしますか？」

「いえ。むしろ、いつもと違う服を着ているときに『あれ？』と思いますね」

そうです。案外、まわりの人というのは他人のワンパターンな服装に気づきすらしないもの。むしろ、いつも通りの「その人らしさ」に安心感と心地よさを覚えているのです。

ちなみに私の服装はかなりのワンパターンです。ワンピースにカーディガンかジャケット、もしくは白いトップスにスカート。この組み合わせだけで外出着の八割以上を占めるはず。

と、ここで私のワンパターン自慢をしたいわけではなく、これまでいろんな人のクロゼットを片づけてきた結論は、はっきりいって片づけ後は全員もれなくワンパターンなのです。

いろんな服装をしているように見える人だって、色のトーンや洋服の形を見れば、その人らしい「パターン」が必ずあります。

ところで、片づけをすると、洋服選びの試行錯誤の歴史をイヤでも振り返ることになります。その中にはできれば思い出したくないような「黒歴史」も少なからずあって、私自身、「こういう形の洋服は似合わないって、教えてくれてありがとう」とつぶやいて、当時、私の不用品の寄付先だった妹へどれだけの数の洋服をプレゼントしてきたことか（これは悪い例なので、マネしないでくださいね）。

でも、そうした歴史を経て残ったモノこそ、本当にあなたに似合う、心地のよい服にちがいありません。

だから、洋服は堂々とワンパターンでいきましょう。

毎日違う格好をしなければならない、という雑誌基準の強迫観念がなくなると、日々の服選びがグッと楽しく、心がラクになるのです。

そうはいっても、「色とりどりなクロゼットに憧れるんです！」という場合。洋服の片づけを終えたあとには、カラー診断を受けたり、ファッションのセミナーに行ったりして、今度こそ「冷静」にパターンの幅を広げる方が多いようなので、ぜひこうした機会を活用してみてはいかがでしょうか。

ちなみに先ほどのグリーン好きのお客様の片づけには後日談があります。無事に写真の片づけまでたどり着き、ときめきチェックをしている最中、突然彼女が笑い出したのです。

「これ、一五年前の写真です」

そういって、ペロリと差し出された一枚を見ると、やっぱりグリーンのトップスにベージュのパンツをはいた彼女が写っています。

「いっしょに写っている家族も、みんな今と同じ。父はポロシャツにグレーのパンツだし、母は白いTシャツに柄物のふんわりスカート」と、写真を見つめながら「なんだか安心しますね。」と微笑《ほほえ》むお客様。

「もう私、これから堂々とグリーン星人を名乗ります」

そこまでしなくていいですよ、と内心思いつつ、楽しくその方の片づけは終了したのでした。

寝間着は絶対にコットンかシルクを着用する

ときめきでモノを選んで片づけをしていくと、メキメキ上がってくるのが「ときめき感度」。

何度か繰り返してお伝えしているフレーズですが、では、この「ときめき感度が上がる」って、いったいどういうことでしょう。

それはズバリ、五感が冴え渡ることです。

つまり、味覚・嗅覚《きゅうかく》・触覚・視覚・聴覚すべてにおいて、「自分にとって心地いいかどうか」に敏感になってくるということ。ときめくかときめかないかの基準で判断を繰り返していくことによって、シンプルに生き物としての感覚が研ぎ澄まされていくともいえます。

そして、これら五感のうち、片づけによってとくに飛躍的に敏感になるものといえば、嗅覚と触覚で間違いありません。

はじめに補足しておくと、もちろん視覚も大いに研ぎ澄まされます。単純に視界に入ってくるモノの量が減ってくるため、不要なモノが目につきやすくなったり、収納のバランスを考えたりすることによって、視覚的な美的感覚がアップしてきます。

でも、人間が物事を判断するときに使っている感覚は視覚が八割以上だということなので、そういう意味ではもともと視覚は研ぎ澄まされているほうだといえます。となると、変化の差が大きいのはやはり触覚と嗅覚なのです。

ここからが本題。では、なぜ、片づけによって触覚と嗅覚が磨かれるといえるのか。

それは、片づけを終えた人が一番顕著に変わることが、じつは「選ぶ素材」だからです。

たとえば、化学繊維の洋服が減ったり、収納ケースをプラスチックから木製の棚に替えたくなったり、ビニール袋で収納していたモノを布製に詰め替えたり。ときめき感度が上がると、モノの触り心地（触覚）とおうちの空気感（嗅覚）に心地よさを求める結果、素材にこだわるようになるのです。

ちなみにこの場合の嗅覚で感じる空気感とは、アロマやお香などでつくられる香りというより、もっと本質的な、おうちの雰囲気を形づくる空気のこと。

具体的には、木のモノなら「ホッと落ち着く感じ」、スチール製なら「ヒンヤリ、凛《りん》とした感じ」、プラスチックなら「カチャカチャしたにぎやかな感じ」。おうちの中に漂う空気感は、素材によって決まります。その違いが一番敏感に感じられるのが、じつは嗅覚なのです。

と、こんなふうにすべてを選ぶ基準がどんどん原始的に、感覚的になってくると、困ったことも起きてきます。

本音をいえば、すべての洋服を天然素材にしたいし、家具や収納グッズだってプラスチック製品を根こそぎ捨てて総取っ替えしたい。もういっそのこと、都会生活を捨てて森の住人になりたくすらなってくるのです。

だけど、そんなことは今すぐできるわけではないので、私がせめてもと死守しているのが、寝間着です。絶対にコットン一〇〇％か、シルク一〇〇％。そういいつつ、シルクはなかなか手が出ないので、実際にはほぼコットンのモノ。

毎日の生活の中で、頭でぐちゃぐちゃ考えるいろんな思考から離れて、もっともリラックスした状態になれるのは、なんといっても睡眠時間。生活の心地よさを追求するなら、寝ている時間に集中投資するのが正解です。

ちなみに私は、何かアイデアがひらめいたり、迷っていたことに答えが出たりするのは決まって「朝、目が覚めた瞬間」。

寝ている時間を究極まで心地のよい状態にすることで、五感を超えた、第六感まで研ぎ澄まされていくのかもしれません。

シーツと枕カバーを毎日洗う効果はウルトラ級

寝間着の素材へのこだわりと睡眠時間の大切さについて鼻息荒く話していたところ、お客様に一冊の本をおすすめいただきました。

それは『シンプル&ラグジュアリーに暮らす』（木村里紗子著、ダイヤモンド社）という本。著者の方はインテリアショップの店員さんなのですが、「心地よく眠る」ことに生きる情熱を全力投球されている方でした。

一人暮らしにもかかわらず、なんと寝室が二つ。通常のベッドルームのほかに本来リビングとして使う空間にもベッドを置いていて、「今日はモダン系、明日はロマンチック系の寝室」というふうに使い分けているのです。

さらに寝間着専用のクロゼットにはハンガーにかかった色とりどりのネグリジェやパジャマがズラリと並び、リネン庫の中にはブルーやピンクや柄モノなど、

さまざまなテイストのベッドリネンがゆったり収納され、気分によって取っ替え引っ替え。

そのセンスよくコーディネートされた寝室は、写真を見るだけでうっとりしてしまいます。

「なんて素敵な暮らし！　私もマネしたい！」という考えが一瞬、頭をよぎったのですが、そのとき引っ越したばかりの部屋はワンルーム。もう一つ余分のベッドを持つわけにいかないし、備えつけられたクロゼットには洋服類がぴったり収まって、新しいリネン類が何セットも入るすき間はなさそうです。

今あるモノだけで最大限に素敵な睡眠時間を送れないだろうか。

ふと目についたのが、ベッドに取りつけられているシーツ。

「そうだ、これを毎日洗ってみよう」と思い立ったのです。

そもそも、ホテルのように毎日洗い立てのシーツと枕カバーで眠るのは実家暮らしだったときからの私の夢でした。けれど実際に一人暮らしを始めると、なんだかんだで忙しく、ついつい同じシーツのまま、何日も過ごしてしまっていたのです。

さっそく、その日からシーツと枕カバーを毎日洗うことを実践。そして、驚くべきことに、この習慣は今日まで絶えることなく続いています。

今でこそ数枚のシーツを持つようになりましたが、始めた当初に持っていたシーツはたったの一枚。いったいどうやりくりしてそれで生活できていたのか、今思い返しても謎なのですが、出勤前に干したシーツに向かって「お願いだから乾いていてくれ」と願掛けしていたり、どうしても乾かなかったときはしかたなく床やベッドパットにそのまま寝ていたり、やや間違った努力をしていたことはうっすら思い出せます。

それでも毎日シーツを洗うなんて面倒なことがあっさり習慣になったのは、単純に気持ちよさが格別でウルトラ級だったから。

毎晩洗い立てのシーツで眠りつづけると、朝起きたときに、「昨日一日で自分にツイた余計なモヤモヤ」がシーツに落ちているのが、目に見えるようにわかります。

もちろんその分、体はスッキリさっぱり。

ひと晩眠ることは、細胞ごと新しい自分に生まれ変わるようなもの。そのことが実感できると、毎日お風呂に入ったり歯を磨いたりするのと同じような感覚でシーツも新しくしたくなるのです。

下着は「見た目のときめき」を重視する

片づけが終わると真っ先に変わるのは、選ぶ素材です。

だから寝間着は絶対にコットンかシルク。

そんな宣言をした直後にいいづらいのですが、私は下着の素材にはまったくこだわっていません。

では、下着そのものにまったく無頓着なのかというとむしろ逆で、私のブラジャーの呼び名は、敬意を込めて「おブラ様」。

片づけレッスンでも「おブラ様はＶＩＰに収納すること」「おブラ様の扱い方はすなわち自分の扱い方です」と豪語し、片づけレッスンでブラジャーがプラスチックの引き出しにポイッとむげに詰め込まれていようものなら、珍しく強い口調で注意してしまうこともしょっちゅうです。

ここまでくると、「ブラジャー教徒」といっても過言ではなく、どちらかというと、かなりこだわりが強いほうだと思います。

どうして自分がこんなに下着に対して思い入れがあるのかあらためて考えてみると、その理由は中学生のときにありました。

一四歳の誕生日に、祖母がデパートの下着売り場に私を連れていってくれたのです。てっきり洋服でも買ってくれるものと思っていたので戸惑っている私に、祖母はひと言、こういいました。

「女は外より中なのよ」

好きなモノを選ぶように促され、おずおずと店員さんにアドバイスをいただきつつ、ブラジャーとショーツがおそろいの一セットを選んだのでした。

それ以降、社会人になるまではデパートの下着売り場できちんと買うようなことは滅多になかったのですが、そのときの「憧れの世界」をのぞいてしまったような高揚感は今でもはっきりと覚えています。

何より心に残っているのは、下着売り場に並べられたブラジャーの宝石みたいな色鮮やかな風景。私にとって「下着イコール宝石みたいな高貴なモノ」という考えの元ができあがったのです。

話を素材に戻すと、もちろん一時期は天然素材にこだわって下着を探していたこともありました。お客様におすすめいただいたモノを試したり、インターネットで検索したり……。

でも、どうしても見た目にときめかない。値段も安くない、外国製のモノはサイズが合わない。

一年ほどブラジャー難民を続けた末、だったら見た目がかわいくてサイズがぴったりのほうがいいなあという結論に至ったのです。

色鮮やかなレースや細やかなデザインということを考えると、今のところ化学繊維に勝る素材はありません。

というわけでブラジャーは「化繊バンザイ」。

収納されているとき、色別にグラデーションになってズラリと並んでいるブラジャーを眺めるときめきは、何物にも代えがたいのです。

片づけが終わったあとのブラジャーに対する意識の変化は人それぞれです。黒中心だったのが「恋愛運をアップさせたい」とピンク中心になった人、白中心になった人、はたまたなぜだか「赤しか着ない！」と決めた人。

もしくは「そもそもブラジャーの窮屈さにときめきません」とノンワイヤー派になる人、ノーブラ派になる人。

おそらくここまでたくさんの人の下着の移り変わりを見る仕事はほかにないと思いますが、皆さん、思い思いに下着とのお付き合いを楽しんでいます。

あなたの場合はどうでしょう。

下着のときめきポイントは、見た目なのか、つけ心地なのか、素材なのか、色なのか。

いずれにしても、下着はあなたの雰囲気をつくるものなので、扱いはＶＩＰ級がおすすめです。

プレゼントを
上手に受けとる練習をする

プレゼント上手な人って素敵ですよね。

私なんかはその真逆で、一時期、誰かにモノをプレゼントすることをまったくしていなかった時期がありました。

イベントごとのお祝いはメッセージカードがメインで、モノを贈るならお花や食べ物などの「消えモノ」限定。手元に残るモノをあげても、使わなければ相手の負担になるばかりだし、いつか捨てられるのも悲しいし……。

片づけ現場でお客様が「ときめかない、でもプレゼントだから捨てられない」と悩んでいる姿や、禁じ手の「プレゼントを贈り主の前で捨てる」をしてしまった末の悲惨なケンカを目の当たりにしてきたこともあり、ちょっとしたプレゼント恐怖症だったのかもしれません。

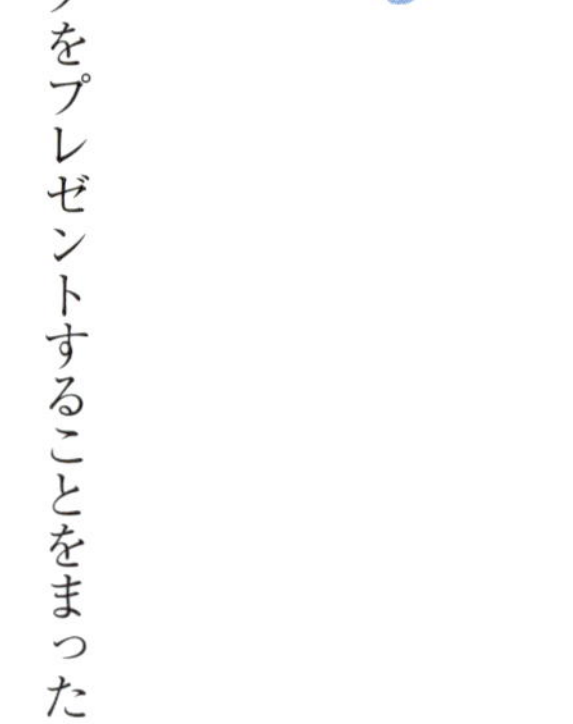

もちろん自分から余計にモノを増やすこともほとんどなくて、お客様から「気に入ったモノがあれば持って帰ってくださいね」といわれることがあっても、当然、返事は「お気持ちだけ」。街で配っているティッシュやチラシも、何があっても受け取りませんでした。

私の仕事を手伝ってくれている秘書のカオリさんも同じく、片づけ上手でモノを増やしたくないタイプ。だから、これまでの誕生日プレゼントもリクエストを聞いて買ってきたモノだったり、お米券だったり、実用一本でした。

それが一転、「もらって困るモノ、ナンバーワン」の手づくりグッズをプレゼントしようなんて思いついたのは、彼女の結婚祝いでこれまでとまったく別のことをやってみたかったからです。

もちろん「もらって困る」なんてことのないようにスタッフみんなで相談して、ハート型の鍋つかみをつくることに。

生地を買ってベースをつくって、刺繍《ししゅう》やビーズでデコレーションしてと、それぞれ自分の担当箇所が終わったら次の人にパス。私の担当は刺繍だったのですが、これが意外とおもしろく、夢中になってしまいました。

片づけをしていると、モノを増やすことに罪悪感を感じてしまいがち。だからついつい大切な人へのプレゼントでも、「喜んでもらいたい」より「迷惑をかけたくない」という気持ちが先立ってしまっていたことに、彼女の好きな言葉をチクチク刺繍しながら思い至りました。

後日、プレゼントを受け取った彼女が心から喜んでくれたのを見て、たまにはモノをプレゼントするのもいいなあと思い直したのです。

「絶対に人にモノをあげない」というかたくなな考えが解けて、少しずつ人にプレゼントを贈ることが増えてきてから、不思議と人からプレゼントをいただく機会も多くなりました。

そして、「人からモノをプレゼントしてもらう」ことって、やっぱりとってもうれしいことなのです。

プレゼントというと、「こんまりさんは『受け取った瞬間のときめきをありがとう』で、一瞬で捨ててしまうんですか？」なんて冗談まじりにいわれることもあるのですが、そんなことはありません。

これまで片づけ一色の人生でたくさんのモノを捨ててきた反動からなのか、今の私は「プレゼントはとことん活用する」派です。

いただきモノの手づくりハンコやシールなどは日常的に使っていますし、似顔絵や置物などの飾りモノもいただいたその日からおうちにディスプレイ。お菓子や紅茶も受けとってから三日以内には、スタッフさんたちといっしょにいただきます。

片づけレッスン中にお客様のおうちで未使用のプレゼントが見つかると、「次回までに必ず使うこと！」と課題を出すこともしょっちゅう。あるお客様はレッスンのたびに新しい食器でお茶を出してくださり、毎回ちょっと豪華なティーパーティのようになっていました。

プレゼントを有効活用するポイントは、「もらったら即パッケージを開ける」「箱から出す」「その日から使いはじめる」の三つ。

「ときめかないモノをもらったらどうするんですか？」と聞かれることもありますが、心配ご無用。「片づけ祭り」を完璧に終えると、不思議なことにそのあといただくモノも「ときめくモノだけ」が来るようで、もらった時点からまったくときめかないモノってほとんどありません。だから、少々ピンとこないモノでも無理やり使ってみるのがおすすめです。

無理やり使ってみる、というと誤解がありそうですが、片づけで自分の持ちモノや好みがはっきりしているからこそ、「ほかのモノでも使ってみようかな」という余裕が生まれて、いつもと違うテイストも楽しめるようになるのです。

もちろん永遠に使いつづけなければいけないルールはなくて、しばらくたってお役目が終了したと感じたときが処分のしどき。この頃には、罪悪感なく心からの感謝の気持ちとともに手放せるようになっているのです。

じつをいうと私自身、こんなふうにモノに関していろんな意味で柔軟になってきたのは、つい最近のことです。

片づけは、今あるモノの中から自分の力で選びとる、いわば「頑張る技術」なので、与えられたモノをそのまま「受けとる力」のほうがおろそかになっていたのかもしれません。

最近ではプレゼント以外でも、街で熱心にチラシを配っている人がいれば笑顔で受けとってみたり（そういえば学生時代のアルバイトでチラシ配りをしていたときは受けとってくれるだけでうれしかった）、お土産《みやげ》屋さんで店員さんが「大きいサイズのほうがお得ですよ」とわざわざ声をかけてくれたらそちらにしてみたり……。

誰かの好意をふんわり受けとれるようになって、だいぶ生きるのがラクになった気がします。

「与えられた運命を受け入れる」といっては大げさですが、プレゼントをしっかり活用することは、自分のところに来たチャンスを生かす練習のような気がするのです。

だから、せっかくもらったプレゼントをそのまま放置してしまうなんてもったいない。

モノとの出会いには必ず意味があります。最初はわからなくても、使ってみることによって、見た目だけではわからなかった意外な楽しみが見つかるかもしれないのです。

「一〇日間頑張る」と新しい習慣になる

バッグの中身を全部出す、シーツを毎日洗う、靴の裏を拭く。

これらは私が習慣としていることの一部です。

一見して面倒くさそうなので、「そんなマメなことは無理」とか「忙しいから」とか、自分が実践することをはじめからあきらめてしまう人もいるかもしれません。

新しく何かを習慣づけようとするのは、誰だってなかなかむずかしいことです。

もちろん私自身、はじめからこんな習慣が身についていたわけではなく、毎回、「ある方法」をとってきたからできたことなのです。

以前、弟子のマユミさんに「シーツを毎日洗っている」という話をしたときのこと。「私もやってみます！」と意気込んだものの、続けて彼女はこんなことを

いいました。

「毎日はたいへんなので、三日に一度くらいから始めてみようと思います！」

すかさず私はアドバイスしました。

「それではダメです。一〇日間限定でいいので、必ず毎日、シーツを替えてみてください」

つまり、「一気に、短期に、完璧に」というわけ。「片づけ祭り」ならぬ「シーツ洗い祭り」です。

どうして「三日に一回くらいから少しずつ」ではダメなのだと思いますか。

新しい習慣を身につけるとき、一番エネルギーを使うのは、はじめの一歩、つまり行動を変える瞬間です。

「これから毎日やらなくては」と漠然と思うより、「まずは一〇日間だけ頑張ってみる」というふうに区切りをつけたほうが、気分的に取り組みやすいもの。

「三日に一回」の習慣がついてから「毎日」に挑戦するためには、また変えるためのエネルギーがいるのですから、わざわざ二段階で考えるのはなんだかムダなステップを踏んでいるような気がします。

さらに、新しいことを定着させるときに必要なのは、究極の心地よさを味わうこと。毎日、洗い立てのシーツで寝ることの気持ちよさは、三日に一回のそれとは比べモノになりません。

はじめは少したいへんに思っても、たったの一〇日間でよいのです。期間限定だと思って毎日頑張ってシーツを替えていくと、その気持ちよさがやみつきになって、そのまま毎日の習慣になっていくというわけです。

もちろん、頑張ったうえで「やっぱり毎日は無理みたい」とか「四日に一回くらいならときめきながら続けられるな」と、自分なりの基準がわかったら、そこから調整していけばよいのです。

どうせ新しいことを始めるなら、まずはハードルの高いことに一気に挑戦して、恩恵を最大限に味わったほうが習慣になりやすいと、私は思います。

これは「シーツを洗う」とか「バッグの中身を全部出す」など、その行為自体に練習や技術がいらないことほど効果的。英語やピアノを習って、その効果を実感するまでにはかなりの年数が必要ですが、シーツを毎日洗うことは誰だってできることなので、すぐに効果を実感しやすいのです。

ちなみにマユミさんの場合、「一〇日間のシーツ洗い祭り」を経て見事、「毎日シーツを洗う」習慣が定着し、そのほかの習慣も同じ方法で次々に身につけているというのですから、やっぱり何か新しいことを習慣にするには、片づけと同様、「一気に、短期に、完璧に」が効くようです。

今日から一〇日間。

さて、どんな「お祭り」を始めてみたいですか。

「片づけ祭り」をやり終えたあなたなら、どんな「祭り」だって始められると、私は信じています。

エピローグ

今あるモノで、ときめく暮らしをしてみる

「友だちを呼べるようなおうちにしたいんです」

Kさんの「理想の暮らし」はこうでした。

人が集まるおうちにしたい。

友だちや家族といっしょに楽しい食事の時間を持ちたい。

こうした目標を持つ方は多いのではないでしょうか。

「ホームパーティとか、すっごく憧れますね！　一度もやったこと、ないのですが……」とおっしゃるKさんもその一人。

「でも、片づけが終わるまでは人も呼べません」

そんなKさんの片づけも着々と進み、書類の片づけが終わった頃のこと、休憩中に出してくださったのは、近くのパン屋さんで買ってきてくれていたパン。

ちなみにふだん片づけレッスンをするときは、休憩もなしで続けてしまうこともけっこうあります。だから、お食事をご用意してくださるということ自体、とてつもなくありがたいことです。

けれど、パンはビニール袋に入ったまま、飲み物はペットボトルを「お好きなのを選んでくださいね」といわれたきり。

それでは、パンに申し訳ないし、せっかくのお食事の時間がもったいない。

「キッチンの片づけ、まだ終わっていないけど、ときめく食器を取り出して、使ってみようかな」

そう思い、「ちょっといいですか」とひと言お断りして、お客様の食器棚をのぞきに行きました。

すると、素敵なお皿がたくさんあるではありませんか。その中から、繊細なタッチで花柄の描かれた素敵なお皿が、棚の奥のほうから、「使って、使って！」と声を出しているような気がしたので、取り出しました。お皿の上に、オーブンで少し温めたパンをのせます。そして、ペットボトルのお茶は、桐箱に入ったままだった江戸切子のグラスに注ぎます。

すると、どうでしょう。ものの三分で、とっても素敵なティータイムに早変わり！

何がいいたかったのかというと、おうちの中の「今あるモノ」を活用するだけで、今すぐにでも実現できてしまう「理想の暮らし」はたくさんあるのです。

片づいたキッチンで素敵な食器をセットで持っている人だけが「素敵な暮らし」を実現できると思い込んでいませんか。

そんなことはありません。ちょっとした工夫と、ちょっとしたアイデアと、ちょっとした遊び心があれば、今あるモノだけで、誰だって今すぐ、「ときめく暮らし」が実現できるのです。

今すぐときめく暮らしを実現する方法はまだまだあります。

たとえば、季節の行事を楽しむことです。

私の場合、母が無類の行事好きだったため、わが家ではそれぞれの月の行事を欠かしたことはありません。

節分のときにはいい年をして鬼のお面や手づくりの角をつけて配役を決めたり、七夕《たなばた》には短冊に願い事を書いて小さな笹につるしたり、十五夜にはススキとピラミッド型に積み上げられたお団子が窓辺に飾られていたり。

伝統的な行事はもちろん、ハロウィンの時期になるとカボチャの代わりにミカンに顔を描いたモノ（カボチャよりもたくさん用意しやすい）が各部屋に飾られているという状態でした。

一二月に入ると、廊下にはクリスマスツリーが置かれ、クリスマスを彩る飾りが施されました。そしてクリスマスの夜は、近所のスーパーで買ってきたローストチキンにかわいいリボンを結んで出してくれたものです。

毎月、季節の飾りモノを替えるなんてマメなことはしていなかったので、おうちが華やぐクリスマスの時期は大好きでした。

こんなふうに書くと、大の仲よし家族のように見えるかもしれませんが、私も人並みに反抗期もありましたし、きょうだいの受験などで忙しい時期は行事をしなかった年ももちろんあります。

けれど、毎年巡ってくる行事をきっかけにまた家族が集まって、ワイワイがやがやといっしょに過ごすことって、とてもありがたいことだと、大人になった今、あらためて思うのです。

幸せに「なる」のではなく、幸せは「ある」のだなと、最近気づきました。

こんなことは、人生経験の少ない私が口にできることではないかもしれないのですが、幸せはやはり、「ある」のだと思います。

ちなみに私は、玄関の一角に季節の手ぬぐいを飾っています。

ただ両面テープで手ぬぐいを貼っているだけなのに、壁紙を替えたかのようにおうちの雰囲気が変わります。季節の手ぬぐいを替えるたびに、心に浮かんでくるのは、やはり家族とのいろんな思い出です。

それは、どこにでもある、ごくふつうの家族のたわいないちょっとした思い出。

けれど、私にとっては、かけがえのない大切な思い出なのです。

片づけをやり遂げることで、人生は間違いなく変わります。

劇的に変わる人も少なくありません。

でも、そんなに大げさでなくても、人生の一瞬一瞬である毎日を、楽しく味わいながら生きていけるようになれたら、私はそれで充分だと思います。

「片づけの魔法」で、ときめくおうちと、ときめく人生と、ときめく毎日が、あなたのもとを訪れますように。

おわりに

今から三年前、初めて書いた一冊目の本『人生がときめく片づけの魔法』の執筆中の話です。

執筆タイムは夜中の二時から朝六時。期待していたような「執筆の神様」なんてモノはほとんど降りてこなくて、うんうんと迷いながらも進まない原稿。一分でも長くパソコンの前にいたほうが書けるような気がして、トイレに行くのも、ごはんを食べるのももったいないような気がしていました。

でも、お腹がすいて、もう集中力がもたない。でも、執筆を中断したくない。冷蔵庫を開けると、残っているのは苺《いちご》ジャム一瓶。それはもう、すごい勢いでベロベロと夢中でジャムを舐める私。その姿からは、どんなに目を凝らしても、ときめき感のカケラも見あたらなかったにちがいありません。

今から考えると、「コンビニ行きなよ、あとトイレも行きなよ」と、とても冷静に思えるのですが、当時はすべてがいっぱいいっぱいだったのです。

そんな、ときめき感がすっかり消し飛んだ生活だったのが、今ではお弟子さんができて、事務仕事を手伝ってくれるスタッフさんができて、と関わる人たちが増えるにつれ、少しずつ余裕ができて、「毎日の暮らし」を楽しめるようになってきました。

朝ごはんをちゃんとつくったり、みそを手づくりしてみたり、季節ごとにおうちのディスプレイを替えてみたり。こんなあたりまえのことが、今とても楽しいのです。

と、そんなことをいっているそばから、弟子のマユミさんたちから片づけの質問メールが届いて、対応しているそばから次回の片づけセミナーの連絡が入って、そうこうしているうちに今日の片づけレッスンに出かける時間がやってきて、といつもの片づけづくしの仕事タイムが始まれば、がぜんテンションが上がってますます元気になってしまうのですから、やっぱり私は片づけの仕事が大好きです。

人生をドラマチックに変えてしまえるだけでなく、毎日のちょっとしたことにもときめきを感じられるようになるなんて、片づけってやっぱりすごい。

これからも片づけの魅力と効果を、いろんなかたちで伝えていけたらなあと思います。

この本をつくるにあたり、いつも近くで私を支えてくださったサンマーク出版の高橋さん、素敵な写真を撮ってくださった夏野苺さん、この本にかかわってくださったすべての皆様、本当にありがとうございました。

そして、この本を手にとってくださったあなたに、心から感謝します。

今日もどうぞ、「ときめく一日」をお過ごしください。

近藤麻理恵（こんまり）

近藤麻理恵(konmari)

片づけコンサルタント。幼稚園年長から「ESSE」や「オレンジページ」等の主婦雑誌を愛読。掃除・片づけ・料理・裁縫などの家事をこよなく愛し、「花嫁修業」的な小学生時代を送る。中学3年のとき、ベストセラー『「捨てる！」技術』を読んで開眼、本格的に片づけ研究を始める。大学2年のとき、コンサルティング業務を開始、「こんまり流ときめき整理収納法」を編み出す。「一度習えば、二度と散らからない」ことが評判となり、口コミだけで顧客を広げる。女性限定の個人レッスンが人気を呼んでいて、卒業生のリバウンド率ゼロをキープ中。2011年、初めて書いた本『人生がときめく片づけの魔法』がミリオンセラーとなる。2013年、同書を原案とした、仲間由紀恵主演のドラマが日本テレビ系で放送され、話題となる。

- 乙女の整理収納レッスン　http://ameblo.jp/konmari/
- 近藤麻理恵official website　http://konmari.com/
- こんまり片づけレッスン　http://konmari.okwave.jp/

毎日がときめく片づけの魔法

2014年1月10日　初版発行
2014年1月25日　第4刷発行

著　者　近藤麻理恵
発行人　植木宣隆
発行所　株式会社サンマーク出版
〒169-0075 東京都新宿区高田馬場2-16-11
電話　03-5272-3166
印　刷　中央精版印刷株式会社
製　本　株式会社若林製本工場

写　真　夏野 苺

ISBN978-4-7631-3352-6　C0030
ホームページ　http://www.sunmark.co.jp
携帯サイト　http://www.sunmark.jp